ANDREA ERNST

# DER GOLDENE HUND

FANTASY

**Bibliografische Information der Deutschen Nationalbibliothek:**
Die Deutsche Nationalbibliothek verzeichnet diese Publikation in der
Deutschen Nationalbibliografie; detaillierte bibliografische Daten sind
im Internet über dnb.d-nb.de abrufbar.

TWENTYSIX – der Self-Publishing-Verlag
Eine Kooperation zwischen der Verlagsgruppe Random House und
BoD – Books on Demand, Norderstedt
© 2020 Andrea Ernst
Satz, Herstellung und Verlag:
BoD – Books on Demand, Norderstedt

ISBN: 978-3-7407-6718-1

»»Vater‹, so ruft sie, ›hilf! […] Wandle, verdirbt die Gestalt, durch die zu sehr ich gefalle!‹ Kaum hat so sie
gefleht, da ergreift eine Starre die Glieder; Zäher Bast
umspinnt das Fleisch des geschmeidigen Leibes; Wie als
Blätter die Haare, so wachsen die Arme als Zweige; Eben
so schnell noch, haften in steifen Wurzeln die Füße;
Wipfel nimmt ein das Gesicht. Ein Glanz nur bleibt
über allem.«[1]

*Daphne bittet Peneus*
*Ovid, Metamorphosen*
*Erstes Buch, 545–552*

1   Ovid, Metamorphosen, übersetzt von Erich Rösch, 3. Aufl.,
    Deutscher Taschenbuch Verlag, München 2001

# 1    Prolog: Ein goldener Funken

Sie hob ihren Kopf. Ihre Lider zuckten. Tränen lösten Dreck und Staub. Ihr Blick klärte sich.

Vor der jungen Frau erhob sich ein ungeheures Tier. Vier schwere Tatzen mit scharfen Krallen gruben sich in den felsigen Untergrund. Starke Beine trugen einen kraftvollen Körper. Dunkle, wache Augen funkelten in einem Raubtiergesicht. Hinter hochgezogenen Lefzen zeigten sich scharfe Reißzähne. Das Wesen trat aus dem Schatten in den Schein der Laterne. Das rußige Licht reflektierte sich auf seinem Fell.

Es war golden, realisierte die Frau erschüttert, fassungslos. Die Überraschung verschlug ihr den Atem, brach ihre Stimme. Sie stützte sich mit den Händen vom Boden ab und stand zögernd auf.

Das Wesen kam langsam auf sie zu.

# 2    Eine Welt in Flammen

Willow schrie. Sie schrie so laut, bis ihre Stimme brach. Dichter Rauch lag in der Luft und ließ sie husten. Sie torkelte einige Schritte vorwärts, wankte mehr, als dass sie ging, dann krümmte sich ihr geschwächter Körper vor Schmerzen zusammen. Der Rauch brannte in ihren Lungen, ihre Augen tränten und ihr Gesicht glühte von der Hitze, die ein heulender Wind herüberwehte. Ihre Ohren dröhnten, die Welt um sie bestand nur noch aus Lärm; einer Kakophonie aus dem Getöse des Feuers, dem Heulen des Windes und dem Geschrei verängstigter Menschen. Sie schlug die Hände vor das Gesicht, um sich vor dem Rauch und dem beißenden Gestank zu schützen, doch es half nur wenig. Sie musste weiter. Und doch konnte sie sich keinen Meter mehr vorwärtsbewegen. Ihr Körper versagte seinen Dienst.

Plötzlich ergriffen sie zwei starke Hände und rissen sie in die Höhe. Sie strauchelte und wäre beinahe zu Boden gestürzt. Die Hände griffen erneut nach ihr, zogen sie mit sich. Sie wehrte sich und schlug schreiend um sich.

Sie durfte nicht gehen. Wenn sie ginge, würde sie alles verloren haben. Ihr Leben würde nie mehr dasselbe sein.

Im Getöse der Flammen hörte sie einen verzweifelten Schrei. Ihr Name erklang in der rauchigen Luft, suchte sich einen Weg an ihre tauben Ohren.

»Mama«, antwortete Willow. Ihre Stimme verlor endgültig an Kraft.

Der Ruf der Mutter ließ Willow ihren Widerstand aufgeben. Sie ergab sich dem Griff des Mannes, der sie erschöpft weiterzog.

»Vater«, flüsterte sie.

Kurz begegneten sich ihre Augen; nasses Blau funkelte ihnen entgegen. Das wütende Züngeln des Feuers ließ sie weiterlaufen – hinein in eine Welt aus Schatten und Dunkelheit.

Endlich trafen sie auf die Mutter. Sie stand zitternd vor ihnen, ohne Kraft, wie ein verdorrtes Blatt im Herbstwind. Willow ließ sich in ihre erschöpften Arme fallen, die sie nur noch aus reiner Liebe trugen; der Wille hätte nicht mehr genügend Kraft besessen, während der Vater Tochter und Frau schützend umarmte. Willow wandte ihren Blick traurig zurück. Wenige Meter vor ihnen zwischen zwei alten Fachwerkhäusern brannte es. Einst war es ihr Haus gewesen. Nichts Besonderes. Aus Stein, Lehm und Holz erbaut. Mit einem schiefen Dach, nicht sehr groß, auch nicht besonders vornehm ausgestattet, aber es war das für Willow und ihre Familie gewesen, was jeder Mensch brauchte: ein Zuhause. Doch dies war verloren. Für immer. Nun stand es lichterloh in Flammen und in wenigen Stunden würde nichts als ein Häufchen Asche und Rauch in der Luft übrigbleiben. Ein Donnergrollen ertönte in der Ferne. Ein Gewitter zog auf. Unmittelbar vor ihnen krachte es ebenfalls. Ein wichtiger Stützbalken war geborsten und stürzte. Er riss das Dach mit sich, das ihn mit Feuer und Flammen begrub, während es zu seiner eigenen Beerdigung läutete.

Willows Blick kehrte zurück zu ihren Eltern. Da standen sie nun. Dicht aneinandergedrängt, wie verängstigte Tiere. Erschöpft. Kohlrabenschwarz. Voller Asche und Ruß. Ihr Vater, ihre Mutter und sie. Ein Mädchen auf der Schwelle zur Frau, ihrem Zuhause entrissen. Sie standen vor dem Nichts.

Ein lautes Keuchen erklang. Unmittelbar vor ihnen trat eine hochgewachsene Person aus der Dunkelheit. Willow erschrak und auch ihre Eltern reagierten erschrocken, doch dann beruhigten sie sich, als sie die Person erkannten, die völlig außer Atem vor ihnen zum Stehen kann.

Es war Taboor. Der junge Bruder von Willows Vater.

»Taboor, gut, dass du da bist.« Er trat ihm entgegen. Die Brüder begrüßten sich mit einer kurzen Umarmung, dann brachte Taboor schließlich klare Worte heraus:

»Maiara, Soor, ich bin so froh! Ihr lebt! Ich dachte schon … das Feuer!«

Sein Blick fiel auf Willow, die hinter ihren Eltern stand, und er trat auf sie zu:

»Meine kleine Willow. Du bist auch unversehrt!«

Zärtlich fuhr er ihr über das rußige Haar. Trotz der Tatsache, dass sie in einem Jahr volljährig sein würde, behandelte er sie immer noch wie ein kleines Mädchen. Sie lächelte schief, ließ ihn aber gewähren.

Dann blickte er wieder auf und drängte zur Eile:

»Kommt, wir müssen verschwinden. Sobald Brutanios erfährt, dass ihr den Brand überlebt habt, wird er es noch mal versuchen!«

Soor hielt ihn mit festem Griff zurück:

»Was, das war ein Anschlag?«

»Ja, Brutanios macht Jagd auf uns. Ich war gerade selbst bei einem Treffen der restlichen Mitglieder der Widerstandsgruppe ›Sonnenaufgang‹, als er mit seinen Kriegern den Saal stürmte und alle Mitglieder – außer mich – niedermetzeln ließ …«

»Was?«, schrien Soor und Maiara.

»Vor knapp zwei Stunden rief Buta zu einer Versammlung zusammen.«

»Zu welcher Versammlung?«, knurrte Soor.

»Es war sehr kurzfristig. Er hat wohl vergessen, euch zu benachrichtigen.«

Soor reagierte gereizt: »Ach, er hat es vergessen? Oder stand er nicht eher auf Brutanios' Seite?«

Maiara wollte Soor ins Wort fallen, doch Taboor kam ihr zuvor:

»Diskussionen helfen uns nicht. Wie dem auch sei, kurz nachdem alle eingetroffen waren und sich gesetzt hatten, stürmte Brutanios mit der Stadtwache und einigen Kankarios' Kriegern den Raum. Sie ließen niemanden am Leben, selbst Buta nicht.«

»Außer dich«, meinte Soor:

»Wie ist es dir gelungen?«

»Soor, du weißt doch, meine Fähigkeit. Ich habe mich unsichtbar gemacht und bin geflohen.«

Taboors Satz verhallte in der Stille der Nacht, die plötzlich durch ein bösartiges Lachen zerrissen wurde.

»Wenn du dich da nicht täuschst, mein Lieber«, sagte ein Schatten lachend im Dunkeln, dann trat er vor.

Brutanios stand vor ihnen.

Ein großer Mann.

Gefährlich wie ein Raubtier, tödlich wie die Flut.

Willow zuckte zurück. Seine bedrohliche Erscheinung, ein bulliger Körper völlig in Schwarz gekleidet und mit schwerem Kettenhemd ausgestattet, ließen sie schaudern. Sein Gesicht war voller Häme und von feuerroten Haaren umspielt, die Brutanios mit einem schweren Helm bedeckte. Auch der spitze Ziegenbart am Kinn war feuerrot und vervollständigte so die Fratze eines Teufels, der dem Höllenfeuer entstiegen war.

Brutanios wandte seinen Blick Willow zu. Sie erschrak zutiefst. Sein Blick aus eisblauen Augen fesselte sie und ließ ihr Blut in den Adern gefrieren. Brutanios spürte ihre Angst und weidete sich lange an ihrem Ausdruck. Dann zwinkerte er ihr zu und machte eine eindeutig anzügliche Geste. Willow wandte ihren Blick aus Scham ab und Brutanios gab sie frei, um sich Soor und Maiara zuzuwenden.

»Soor, du hast eine reizende Tochter. Wirklich allerliebst.«

Soor knurrte ihn wütend an: »Lass meine Tochter aus dem Spiel.«

Brutanios lachte schallend, dann wurde er wieder ernst: »Buta war wirklich eine ausgezeichnete Hilfe. Mit ihm konnte ich leicht die letzte Widerstandsgruppe ausschalten. Bald wird nichts und niemand Kankarios mehr aufhalten können, und ich werde zum reichsten und mächtigsten Mann dieser Welt. Nur ihr steht Kankarios noch im Weg. Ergreift sie!«

Mit diesen Worten traten aus dem Dunkeln sechs Mitglieder der Stadtgarde – an ihren Schwertern klebte Blut vom letzten Massaker.

»Tötet sie!«

Hinter den Soldaten erschienen drei weitere Gestalten. Nicht menschlich. Riesige, insektenartige Wesen mit Zangen und Klauen. Und einer ungeheuren Mordlust in den Facettenaugen.

Hinter ihnen ertönte ein Donnergrollen. Blitze zuckten. Dann stürzten sie sich auf ihre Opfer. Das Mädchen schrie auf und wollte sich an ihre Mutter klammern, doch ihr Vater riss sie fort und übergab sie seinem Bruder.

»Taboor, verschwinde mit meiner Tochter von hier! Flieht in das Land der Schönheit. In die Obhut der Lichtwesen. Dort seid ihr sicher.«

»Ich verspreche es, ich werde Willow mit meinem Leben beschützen.«

Der Vater blickte seiner Tochter noch einmal in die Augen, bat um Verzeihung, dann stürzte er schreiend herum: »Brutanios, nun zeige ich dir, zu was wir imstande sind.«

Er verwandelte sich. In einen übergroßen Adler. Kraftvoll schwang er sich in die Luft und stürzte sich energisch auf einen Krieger. Bevor sich seine Klauen um den Hals des Insekts schlossen, fegte er zwei Soldaten zu Boden. Maiara verabschiedete sich ebenfalls von Willow, gab ihr einen Kuss und half dann ihrem Mann. Auch sie verwandelte sich. Als Raubkatze, einem Puma gleich, stürzte sie sich auf einen Gardisten und schleuderte dessen Waffe zu Boden. Willow erstarrte. Sie konnte und wollte ihre Augen nicht abwenden, doch Taboor zog sie fort. Mit sich in die Dunkelheit.

Der Kampfeslärm war selbst Gassen entfernt noch zu hören. Gemischt mit dem Grollen des Donners. Es begann zu regnen. Schwere Tropfen prasselten auf sie herab und durchnässten sie in Kürze völlig. Zitternd folgte Willow ihrem Onkel durch die Stadt. Die Geräusche des Kampfes wurden leiser, schließlich war nur noch der Regen zu hören. Sie hatten Morana verlassen und kämpften sich durch hohes Gras, das nass und rutschig war. Willow trottete nun mehr hinter ihrem Onkel her, als dass sie lief, dann blieb er plötzlich stehen. So abrupt, dass Willow fast in ihn hineingelaufen wäre. Verwirrt sah sie auf. Ein Lachen erklang. Das Herz des Mädchens krampfte sich zusammen. Sie schrie, stürzte und fiel schwer auf die Knie. Vor ihnen stand Brutanios. Durchnässt, aber unverletzt. Er lächelte das Mädchen an, noch anzüglicher als zuvor, und hob sein Schwert. An ihm lief Blut in Schlieren hinab. Es wurde erst langsam vom Regen gereinigt. Rasch wischte Brutanios die Waffe mit seinem Mantel sauber. Willow erhob sich wieder. Ihr Feind bemerkte ihren verwirrten Blick und erklärte lehrmeisterhaft: »Reinige nach jeder Schlacht, nach jedem Mord deine Waffe, damit sie bereit ist für den nächsten Hieb, für das nächste Opfer.«

Das letzte Wort spie er aus und stieß das Eisen in Taboors Richtung. Dieser verschwand, bevor die Klinge seinen Körper durchbohren konnte. Brutanios lachte nur.

»Das hätte ich fast vergessen. Der Mann, der sich unsichtbar machen kann. Applaus.«

Er klatschte gespielt in die Hände, dann pfiff er. Ein Ring von Soldaten und Kriegern schloss sich um sie. Traurig bemerkte Willow, dass es noch mehr geworden waren. Es schien kein Einziger zu fehlen. Auf Brutanios Wink hin ließen sie ihre Waffen durch die Luft kreisen, die Soldaten ihre Schwerter, die Krieger ihre Klauen. Doch niemand traf seinen unsichtbaren Körper.

»Taboor, böser Onkel. Du verschwindest einfach und lässt deine Nichte im Stich. Hat dein Bruder dich nicht gebeten, auf sie aufzupassen, und hast du es nicht mit deinem Leben geschworen?! Ach, Taboor, mögest du noch ihre Schreie hören.«

Er lachte, dann trat er auf Willow zu, die leise weinte.

»Mein Kind, weine doch nicht. Ich werde auch sehr vorsichtig sein.«

Dann riss Brutanios ein Stück Stoff aus ihrem weißen Kleid. Das Mädchen stürzte auf die Knie. Er riss sie wieder in die Höhe und wütete weiter an ihrem Gewand, bis es nur noch in Fetzen an ihr herunterhing.

»Du bist wirklich schön, Mädchen«, flüsterte er, dann zog er sie zu sich heran.

»Schon eine richtige Frau!«

Seine Hände ergriffen gewaltsam ihren Körper.

Willow schrie. Aus Leibeskräften. Sie spürte Schmerz und sackte in Bewusstlosigkeit. Das letzte Bild in ihrem Kopf war eine Weide.

# 3    Der Spiegel

Warme Sonnenstrahlen kitzelten sein Gesicht. Jack lächelte, während er die Augen geschlossen hielt. Welch ein schöner Tag, dachte er. Der 20-Jährige gähnte und streckte sich, blinzelte ins Morgenlicht. Kleine Staubflöckchen tanzten durch das lichtdurchflutete Zimmer und sackten langsam auf den alten Holzboden. Jack rollte sich aus dem knarzenden, zerschlissenen Bett und stand auf. Er näherte sich dem gegenüberliegenden Fenster, dessen Glas zerbrochen war, und mit seinen spitzen Zacken bedrohlich wirkte. An einer Spitze konnte er eingetrocknetes Blut erkennen – sein Blut. Jack erinnerte sich noch sehr gut an dieses schmerzhafte Ereignis, als er eines Nachts in dieses Fenster gestürzt war. Aber er hatte Glück gehabt und sich nur den Arm aufgeschlitzt. Nur den Arm, dachte er sarkastisch. Er konnte sich sehr gut an die Schmerzen erinnern und, als er auf seinen rechten Arm herabsah, war die lange Narbe nicht zu übersehen.

Doch das war Vergangenheit, die man vergessen sollte, und er hatte das schon so oft getan. Vergessen. Vergessen, wie seine Eltern gestorben waren. Als der Bär in ihr Haus gekommen war, die Schreie und die Einsamkeit danach. Nein, das hatte er alles hinter sich gelassen. Jetzt war er auf sich allein gestellt, denn niemand war bereit gewesen, ihm ein neues Zuhause zu geben. Sie hatten ihn in ein Waisenheim gesteckt, das er mit 14 Jahren in einer nächtlichen Flucht für immer verlassen hatte. Zwar hatte man versucht, ihn wieder einzufangen, aber Jack war geschickt allen Ergreifungsversuchen entwichen, sodass die Heimleitung schließlich aufgegeben hatte. Nun wohnte er in einem leerstehenden, heruntergekommenen Bauernhaus am Dorfrand und hielt sich mit Arbeiten und kleinen Diebstählen über Wasser. Es war zwar ein hartes Leben, aber eines, an das er sich gewöhnt hatte.

Jack wandte sich vom Fenster ab, wusch sich mit Regenwasser aus einem zerbeulten Blecheimer und zog sich an. Schnell schlüpfte er in die braune Rindslederhose, die er schon viele Jahre besaß und die ihm jetzt erst richtig passte, knöpfte das weiße Leinenhemd zu und stieg in die Lederstiefel. Dann betrachtete er sich in einem trüben Spiegel. Er strich sich eine Strähne seiner kurzen haselnussbraunen Haare aus dem Gesicht. Tiefe Augenbrauen, markante Gesichtszüge. Jack musste grinsen, denn er wusste, wie er auf das andere Geschlecht wirkte. Das Aussehen eines richtigen Casanovas. So hatte ihn zumindest einmal ein Mädchen beschrieben. Dann verwarf er diesen Gedanken. Er wurde wieder ernst und presste seine Lippen zu einem blutleeren Strich zusammen. Jack starrte in sein Spiegelbild. Blaue Augen funkelten zurück. Sie waren so blau wie der Himmel an einem heißen Sommertag. Diese Augen. Sie hatten ihn schon immer verwundert. Weder seine Mutter noch sein Vater hatten solche Augen gehabt. Eigentlich war er noch nie einem Menschen begegnet, der ungefähr dieselbe Augenfarbe hatte wie er. Früher in glücklichen Zeiten, als sie noch lebte, hatte ihn seine Mutter liebevoll Elfenprinz genannt. Sie sagte, er habe die Augen einer kleinen Wasserelfe. Auf seine Frage, ob er die Elfen nicht einmal besuchen könnte, nahm sie ihn zärtlich in den Arm, strich ihm über die Haare und antwortete ihm mit einem Lächeln im Gesicht:

»Eines Tages werden wir sie besuchen – zusammen.«

Jack nahm einen Gürtel vom Haken, schnallte ihn um und überprüfte den Sitz des Messers, das in einer Schlaufe des Gürtels steckte. Dieses Messer war sein einziges Andenken an seine Familie. Früher hing es über dem Kamin und sein Vater hatte ihm erklärt, dass er es eines Tages bekommen würde, wenn er alt genug war. Jetzt war er in dem Alter, auf das er so lange gewartet hatte, nur sein Vater konnte es ihm nicht mehr geben. Kurz strich er über den kunstvoll gefertigten Griff des Messers. Er war golden und zeigte einen Hund, der einem Wolf glich, und aus dessen Maul die Klinge schoss. Zuletzt ergriff Jack seine Lederjacke, dann verließ er das Zimmer und anschließend das Haus.

Sein Ziel war eine kleine, windschiefe Hütte am anderen Ende des Dorfes, in der eine alte Frau wohnte. Diese Alte, die Jack kurz Oma nannte, gab ihm oft zu essen und wusch seine Kleidung, da sie seinen Vater gut gekannt hatte. Während der junge Mann durch das Dorf marschierte, warfen ihm die Leute misstrauische Blicke zu. Jack war diese gewohnt; auch kannte er das Geschwätz, das über ihn im Umlauf war:

»Der Typ ist ein ganz Schlimmer, haltet ja eure Kinder von ihm fern. Vor allem die Mädchen. Der ist gefährlich.«

»Seine Eltern waren doch so nette Menschen.«

»Der Bär, ist er erschossen worden?«

»Der Junge so verwahrlost, aus dem Heim ausgerissen, ein Dieb.«

»Die Polizei soll ihn endlich verhaften. Der gehört ins Gefängnis. Einsperren soll man ihn!«

Selbstbewusst schritt er durch die Straßen, schnappte sich einen Apfel von einem Baum, dessen Äste aus einem Garten herausragten, steckte ihn in die linke Tasche seiner Jacke und traf nach wenigen Minuten auf das Haus der alten Frau. Er durchschritt den Vorgarten, öffnete die Tür und trat gebückt ein.

»Hallo Oma«, begrüßte er die alte Frau, die in der Küche mit einem Obstkorb in den Händen stand, und drückte ihr einen Kuss auf die faltige Wange.

»Ach, du bist es, mein lieber Junge. Setz dich.«

Jack tat wie ihm geheißen und schaufelte den heißen Eintopf, den ihm die alte Frau hinstellte, mit großer Geschwindigkeit in sich hinein, ohne darauf zu achten, dass er sich verbrennen könnte. Die Frau setzte sich neben ihn an den Tisch und lächelte belustigt.

»Weißt du, mein lieber Junge, dass du mich an deinen Vater erinnerst?«

Jack hörte diese Frage jedes Mal, wenn er zu Besuch kam. Er wusste schon, was sie sagen würde. Aber da sie keine Ruhe geben würde, bis er sie sprechen ließ, sagte er:

»Nein. Inwiefern?«

Die alte Frau lachte glücklich und meinte voller Triumph:

»Er hat auch so schnell gegessen wie du. Ja, und einmal, da hat er sich die Zunge so verbrannt, dass er eine Woche lang nicht …«

Jack hörte nicht mehr hin. Diese Geschichte kannte er in- und auswendig. Sein Vater hatte vielleicht fünfmal bei der Frau gegessen, aber dieses Erlebnis mit der verbrannten Zunge war für die alte Frau eine so wichtige Anekdote aus ihrem Leben, dass sie sie immer erzählen musste. Jack lachte amüsiert, denn auch das gehörte zur Geschichte. Die Frau lachte mit und sah ihn dankbar an.

Jack verließ nach ungefähr zwei Stunden das Haus der alten Dame und wandte sich in Richtung nördlicher Dorfrand. Dort stand neben der Schule das alte Wirtshaus und dort lebte Maria. Sie war ein nettes Mädchen, bodenständig, brav und ein klein wenig naiv. Etwas zu brav für Jacks Geschmack, aber das würde er bald ändern. Sie war schön, hatte dunkle Augen und schwarze Haare. Sie war jung, knapp 15, gut in der Schule (die er schon so lange nicht mehr von innen gesehen hatte), die Tochter des Wirts. Und sie war in Jack verliebt. Sie vergötterte ihn geradezu. Auch wenn man sie vor ihm gewarnt hatte und ihr Vater sie nicht gern mit ihm zusammen sah. Doch Jack wusste, wie man ein Mädchen umwarb, und konnte sehr, sehr nett sein. Er versteckte sich hinter einer Hecke neben dem Gasthaus und pfiff. Es dauerte nicht lange und Maria erschien. Sie blickte suchend um sich, entdeckte ihn und lief ins Haus zurück. Wenig später kam sie wieder und trat neben Jack hinter die Hecke.

»Hallo Jack, ich musste nach meinem Vater sehen. Ich habe ihm gesagt, dass ich etwas auf dem Markt besorge.«

Jack lächelte sie an. Na, so brav war sie doch nicht. Was

sein Umgang doch bei so einem unschuldigen Ding be-wirken konnte. Er küsste sie stürmisch, dann zog er sie mit sich und versteckte sich mit ihr im alten Lagerraum der Schule. Es war Sonntag. Wer sollte sie stören?

Gegen Spätnachmittag kehrte Maria ins Wirtshaus zu-rück. Sie hatte sich verändert. Jack verließ sie grinsend. Nun würde sie ihn nie mehr wiedersehen. Sie hatte ihm gegeben, was er wollte. Ihre Unschuld.

Er machte sich auf den Weg in den Wald, da er noch etwas Brennholz für die Nacht brauchte. Als er zwischen den Bäumen hindurchging, fiel ihm ein Stamm auf, der seltsam glänzte. Er ging nahe heran und erkannte, dass ein Spiegel im Baumstamm eingelassen war. Verwundert und zugleich neugierig streckte er seine Hand aus, um den Spiegel zu berühren. Als er die kalte, glatte Fläche unter seinen Fingern spürte, drehte sich plötzlich die Welt um ihn. Jack verlor das Bewusstsein, als der Spiegel ihn blau schillernd hineinzuziehen begann.

# 4    Todesgefahr

Jack erwachte mit einem lauten Stöhnen auf den Lippen. Er war offenbar tief gestürzt, denn sein Kopf und seine Wirbelsäule schmerzten höllisch. Langsam hob er den Kopf und sah sich um. Er war auf einer Wiese. Gräser piksten ihn und irritiert starrte er auf die Gänseblümchen vor seiner Nase. Jack schüttelte den Kopf, schloss und öffnete die Augen, aber er sah immer noch eine Wiese. Bin ich verrückt geworden?, fragte er sich stirnrunzelnd. Ich war doch im Wald. Wie komme ich dann hierher? Er erhob sich mühsam, suchte kurz das Gleichgewicht und stand dann still. Er drehte sich einmal um die eigene Achse, aber außer Wiesen, auf denen zahlreiche Blumen blühten, konnte er nichts erkennen. Keinen einzigen Baum, keinen Wald, nichts dergleichen. Mit den Schultern zuckend, ging er in eine beliebige Richtung, in der Hoffnung, bald auf Spuren von Zivilisation zu stoßen – auf etwas, das ihm zeigte, wo er hier gelandet war.

Jack war einige Zeit gegangen, als er auf einen Weg aus großen, glatten Steinen traf. Hoffentlich führt der zu einem Dorf, dachte er. Dann durchbrach plötzlich ein Geräusch in der Ferne die Stille. Jack hörte das Stampfen von Füßen und das Knarren von Holzrädern auf Steinplatten. Nach kurzer Zeit sah er einen Mann in einfacher Bauernkluft den Weg herankommen. Der Mann mittleren Alters schob einen Handkarren, auf dem einige Säcke und Tonkrüge lagen. Erleichtert rannte Jack zu ihm und sprach ihn an. Aber der Mann ging stumm weiter. Jack musste sogar ausweichen, um nicht niedergefahren zu werden. Verwundert über dessen Verhalten lief er dem Mann hinterher und zog an seinem Hemd. Auf einmal stoppte der Bauer seinen merkwürdigen Gang, drehte sich zu ihm um …

Jack erstarrte, dann stolperte er einige Schritte rückwärts. Ein kalter Schauer lief ihm den Rücken herunter. Diese Augen!

Sie hatten keine Pupillen, keine Iris. Sie schimmerten nur weiß. Und sie glotzten ihn an. Erschrocken wandte Jack seinen Blick ab.

Dann tat es einen schrecklichen Laut. Als würde etwas zerreißen. Jack sah wieder hin und fiel rücklings zu Boden. Panisch streckte er seine Hände aus. Der Schrei, der ihm auf der Zunge lag, blieb ihm im Halse stecken.

Die Haut des Mannes war aufgerissen. Klauen brachen hervor. Ein schriller Schrei erklang.

Ein riesiges Ungetüm kämpfte sich aus dem Bauern. Der zerfetzte Körper fiel zu Boden und ein mannshohes Insekt trat vor.

Jack reagierte nicht. Er war wie erstarrt. Erst als das Tier mit seinen Klauen nach ihm schnappte, versuchte er hektisch, aufzustehen. Es gelang ihm nicht. Er rutschte aus.

Das Insekt bekam seinen rechten Fuß zu fassen. Hartes Chitin schnitt durch die dicke Lederhose hindurch und ritzte seine Haut. Jack schrie auf. Er versuchte, sein Bein zu befreien, doch der Griff der Klaue war eisern. Das Insekt zog ihn zu sich heran. Ein großes Maul beugte sich langsam zu ihm herunter. Stinkender Schleim tropfte aus dem Rachen, traf seine Brust, verklebte seine Arme. Jack bäumte sich auf, schlug nach dem übermächtigen Gegner, boxte in den steinharten Körper.

Seine Kraft schwand. Der Schleim verwandelte sich langsam zu harten Fesseln. In letzter Verzweiflung zog Jack sein Messer und rammte es dem Koloss in den Leib. Knirschend ging das Metall durch das harte Chitin, dann blieb es stecken.

Jack hielt den Atem an. Nun war es vorbei. Das war sein Tod. Das große Maul beugte sich zu ihm hinunter, Klauen schlugen nach ihm, das Insekt kippte …

In allerletzter Sekunde reagierte Jack. Er wich aus. Dann stürzte das Ungetüm donnernd zu Boden. Genau auf die Stelle, wo er gerade noch gewesen war. Es war tot.

Minutenlang lag Jack nur da, keuchte. Sein Herz schlug ihm bis zum Hals, seine Glieder zitterten unkontrolliert. Dann richtete er sich zögernd auf. Erschüttert versuchte er, sich von Schleim und Schmutz zu befreien – es gelang ihm nur minder zufriedenstellend. Seine Kleidung war nach wie vor schmutzverschmiert. Jack untersuchte sich mit einem Seufzen auf Verletzungen. Auf seinen Händen waren blutige Kratzspuren zu sehen und sein rechtes Bein blutete. Die Wunde schien jedoch nicht tief zu sein. Glücklicherweise hatte seine robuste Kleidung aus Leder ihn vor schlimmeren Verletzungen bewahrt. Er stand auf, ging zum toten Insekt, zog sein Messer heraus.

Nachdenklich betrachtete er die verklebte Klinge. Wo

war er hier nur gelandet? Erneut ging eine Woge Panik durch seinen Körper. Ihm wurde schwindlig. Der Schock, dachte er.

Bevor er zusammenbrechen konnte, hörte er erneut ein Geräusch. Das Echo von Schritten, das Knarren von Holzrädern auf Stein.

»Nicht schon wieder!«, stieß Jack aus und floh in die Felder.


Als der Weg außer Sicht war, brach Jack in die Knie. Der Kampf, die Panik hatten ihn erschöpft. Er besah sein verletztes Bein. Es blutete immer noch. Jack zog ein Stofftuch aus seiner Jackentasche hervor und verband damit die Wunde. Es musste irgendwie gehen. Glücklicherweise hatten die Schnittwunden an seinen Händen bereits zu bluten aufgehört. Was jetzt? Wie soll es weitergehen?, fragte sich Jack, während er nach Atem rang.

Plötzlich platschte ein großer Wassertropfen auf seinen Kopf, weitere folgten.

»Das ist ja die reinste Sintflut!«, meckerte Jack.

Er erhob sich und hielt nach einer Deckung Ausschau. Wenige Meter südlich von ihm stand eine Weide. Rasch lief er darauf zu und atmete erleichtert auf, als er das schützende Dach aus Ästen und Blättern erreicht hatte. Jack ließ sich unter dem Baum nieder, lehnte sich an den Stamm und war innerhalb weniger Minuten eingeschlafen.

# 5    Willow

Jack erwachte, als er jemanden um Hilfe rufen hörte. Immer wieder. Rasch setzte er sich auf und blickte suchend in die Landschaft. Aber da war niemand. Er erhob sich, umrundete die Weide, aber wieder fand er den Rufer nicht. Verwirrt setzte er sich vor dem Baum auf den Boden, als erneut die Stimme erklang.

»Was soll das? Wo bist du?«, schnauzte Jack wütend und schüttelte den Kopf.

»Hier, rette mich«, rief es. »Der Baum.«

Jack wandte sich dem Baum mit aufgerissenem Mund zu.

»Wer bist du?«, fragte er leise.

»Küss mich«, antwortete der Baum.

»Was, ich soll dich küssen?«, erwiderte Jack.

Oh nein, ein Baum der Zuwendung braucht. Wo bin ich hier gelandet?

»Bitte. Erlöse mich.«

Jack verdrehte die Augen, aber er konnte sich schließlich dazu aufraffen, einen flüchtigen Kuss auf die rissige Rinde des Stammes zu drücken.

Der Baum erstrahlte daraufhin in einem goldenen Licht, zunehmend heller, und Jack musste seine Augen schließen. Etwas fiel neben ihm zu Boden, berührte ihn ganz sanft. Als der Lichtstrahl versiegt war, öffnete Jack die Lider.

Es verschlug ihm erneut den Atem. Träumte er? War

er verrückt geworden? Die Weide war verschwunden. An ihrer Stelle …

Vor ihm lag ein Mädchen.

Sie war schön. Fast erwachsen. Etwas jünger als er selbst. Seine Augen glitten über ihren Körper. Sie trug ein zerrissenes Kleid, fast nur noch Fetzen am Leib. Ihre nackte Haut glänzte in der Sonne. Seidiges, goldbraunes Haar umspielte ihren Kopf wellengleich und ergoss sich über ihren Rücken, auf dem eine Tätowierung zu sehen war. Eine geschlossene Lilienblüte, die von Weidenzweigen umfangen wurde. Verwundert und neugierig näherte er sich dem Mädchen. Ihre Augen waren geschlossen, ihre Brust hob sich in leisen Atemzügen. Jack ergriff sie sachte an den Schultern, zog sie in die Höhe und schüttelte sie leicht.

»Wach auf«, stieß er aus, während er sie immer noch festhielt.

Schließlich zuckten ihre Wimpern, unsicher, dann öffneten sich ihre Augen. Jack sah ihr neugierig entgegen, während ihre Augen verwirrt und unsicher hin und her zuckten. Ihre Blicke trafen sich. Jack meinte, in einen Spiegel zu sehen. Ihre Augen …

Sie waren blau wie der Himmel, tief wie ein Bergsee. Sie hatten dieselbe Farbe, dieselbe Struktur wie seine. Ihr Blick hielt ihn gefangen. Er verstärkte seinen Griff und versuchte, sie näher zu sich zu ziehen.

Sie gab einen erschrockenen Laut von sich und stieß ihn weg.

»Was?«, fragte er verwundert, während sie noch weiter von ihm wegrutschte. Dann versuchte sie, aufzustehen, doch ihre Beine versagten ihr den Dienst. Sie sackte erschöpft zu Boden.

»Keine Angst«, versuchte Jack, sie zu beschwichtigen. »Du weißt, dass ich dich gerade erlöst habe?«

Sie sah ihn irritiert an, doch dann klärte sich ihr Blick und sie verstand. Ihr Blick wanderte musternd über seine Gestalt, dann versuchte sie erneut, aufzustehen.

Er sah es und war mit zwei, drei Schritten bei ihr, um ihr aufzuhelfen. Sie wich wieder vor ihm zurück, doch Jack griff beherzt unter ihre Arme und zog sie hoch. Schließlich stand sie, wankend und zitternd.

Jack starrte sie an und sein Blick fiel erneut auf ihren fast nackten Körper.

»Geht es?«, fragte er zögernd.

Sie antwortete nicht, sondern löste sich von ihm und verschränkte die Arme vor der Brust.

Sie hob ihren Blick und sah ihn scheu an. Sie sprach leise:

»Danke. Danke, dass du mich erlöst hast.«

Und dann umspielte ein zaghaftes Lächeln ihre Lippen, das Jack gefangen nahm. Es war atemberaubend.

»Gern geschehen«, erwiderte er erfreut. »Ich heiße Jack. Und wie heißt du?«

Sie antwortete nicht gleich, stattdessen rieb sie sich mit den Händen über die nackten Arme. Jack folgte ihren Bewegungen mit den Augen und erkannte erschrocken, dass sie am ganzen Leib zitterte.

Jack schalt sich innerlich – natürlich musste sie in ihrem dünnen Kleid frieren, der vorherige Regen hatte die Luft stark abgekühlt. Er zog seine Jacke aus und legte sie ihr vorsichtig über die Schultern. Sie zuckte leicht zurück, dann schmiegte sie sich dankbar in den warmen Stoff. Kurz verharrte sie so, dann zog sie sich die Jacke richtig an, indem sie mit den Armen in die Ärmel schlüpfte und vorne die Knöpfe schloss.

»Danke, Jack. Ich heiße Willow.«

»Willow, das ist ein schöner Name. Es freut mich, dich kennenzulernen. Sag mir, was ist mit dir passiert? Warst du tatsächlich ein Baum oder spinne ich?«

Beim letzten Satz musste er unsicher lachen.

Ihr Blick wanderte eine Weile durch die Landschaft – sie war nach wie vor unruhig und auf der Hut. Offenbar suchte sie nach möglichen Gefahren, möglichen Angreifern. Doch wer sollte es ihr verdenken, dachte Jack, gerade bei dem, was er vor Kurzem mit dem Bauern erlebt hatte.

Schließlich sah sie ihn an und antwortete auf seine Frage:

»Brutanios hat meine Eltern und mich angegriffen und ich war auf der Flucht vor ihm.«

»Brutanios? Wer ist das?«

»Du kennst Brutanios nicht? Den Statthalter von Morana. Er versucht, Kankarios mit Gewalt den Weg zu bereiten.«

»Morana, Kankarios? Wer? Wo bin ich hier? Und was sind das für Wesen, die aus Menschen schlüpfen?«

»Du weißt nicht, was das ist? Und du hast die Kankarios' Krieger kennengelernt? Und du lebst noch?«

»Ja, aber nur mit Mühe und Not. Mir sagt das alles nichts. Gerade war ich noch Feuerholz suchen im Wald, als ich einen Spiegel in einem Baumstamm entdeckte. Kaum hatte ich ihn berührt, zog er mich hinein und ich landete unweit von hier auf einer Wiese und kurz darauf werde ich von diesem Insektenwesen angegriffen, das aus einem Bauern geschlüpft ist.«

Jack hatte sich richtig in Fahrt geredet und Willows Verwirrung wurde immer größer. Schließlich als er vom Spiegel sprach, ergab es für sie einen Sinn.

»Durch einen Spiegel gestürzt, sagst du«, murmelte sie. »Kommst du von der Erde?«

Jack sah sie irritiert an.

»Ja. Warum? Bin ich hier nicht mehr auf der Erde?«

»Nein, du bist hier in Ayin. Einer magischen Welt. Ich habe schon davon gehört, dass Menschen von der Erde hierhergekommen sind.« Sie war tief in Gedanken versunken, während sie sprach.

»Ayin? Erzähle mir mehr davon«, bat Jack sie, als plötzlich ein ohrenbetäubendes Getöse über sie hereinbrach.

Willow zuckte zusammen und sah erschrocken nach oben. Auch Jack hob den Blick. Der Himmel über ihnen verdunkelte sich und war voller schwarzer Vögel, die krächzend und zeternd die Luft erfüllten. Einige der Raben griffen ihre Artgenossen im Flug an, hackten gegenseitig nach ihren Köpfen. Ein unglücklicher Vogel, dem die Schwungfedern gänzlich ausgerissen worden waren, stürzte auf Willow und Jack herab und blieb tot vor ihren Füßen liegen.

Willow stieß einen Schrei aus, dann wandte sie sich zur Flucht und zog Jack mit sich.

»Komm, ich erzähle dir gern später mehr, aber wir müssen sofort von hier verschwinden. Wenn die Vögel so durchdrehen, sind die Krieger nicht weit.«

Und so lief sie los. Jack folgte ihr irritiert.

»Wo willst du hin?«

»Weg aus der offenen Ebene. In den Wald und dann sehen wir weiter.«

Sie liefen fast eine halbe Stunde über Wiesen und Felder, bis sie die ersten Ausläufer eines kleinen Waldes erreichten.

Wenige Meter zwischen den Bäumen blieb Willow schließlich stehen und auch Jack hielt neben ihr an. Schwer atmend lehnte sie sich an den Stamm einer Eiche und kam erst mal wieder zu Atem. Jack hielt sich keuchend die Seite und stützte sich ebenfalls an einen Baumstamm.

»Meinst du, wir sind in Sicherheit?«, fragte er sie schließlich, als er seine Stimme wiedergefunden hatte.

»Vorerst schon. Aber ich muss überlegen, was wir als Nächstes tun sollen.«

»Weißt du denn, wie ich wieder nach Hause komme?«

»Leider nicht. Ich habe nur in Erzählungen gehört, dass Menschen von der Erde hier gelandet sind. Es wurde dort aber nie erzählt, ob und wie sie wieder zurückgekehrt sind. Ich überlege, ob es mein Onkel wüsste … meine Eltern …«

Willow verstummte und dachte angestrengt nach.

Sollte sie Taboor suchen? Lebte er noch? Und was war mit ihren Eltern? Waren sie tatsächlich tot? Ihr Herz krampfte sich bei diesem Gedanken zusammen und sie spürte Tränen in sich aufsteigen, die sie jedoch unterdrückte. Sie durfte jetzt nicht zusammenbrechen. Sie musste überlegen. Sie musste …

»Ich werde nach Morana gehen«, sagte sie schließlich.

»Nach Morana? Dort, wo dieser Brutanios Statthalter ist? Bist du nicht gerade vor ihm geflohen?«, fragte Jack nach.

Bei Brutanios' Namen zog sich Willows Magen zusammen. Wenn sie nur an ihn dachte, wurde ihr schlecht. An seine Hände, an das, was er mit ihr vorgehabt hatte. Doch welche andere Option blieb ihr sonst? Außerhalb Moranas kannte sie niemanden. Oder sollte sie – wie ihr Vater Taboor gebeten hatte – gleich ins Land der Schönheit fliehen? Doch was wäre, wenn ihre Eltern doch noch lebten, wenn Taboor in Morana auf sie wartete?

»Ich weiß, dass es gefährlich ist. Doch momentan lauern überall Gefahren. In Morana habe ich zumindest die Chance, herauszufinden, was mit meinen Eltern passiert ist, und meinen Onkel zu finden. Sie können uns bestimmt helfen. Vielleicht wissen sie sogar, wie du wieder nach Hause kommen kannst. Begleitest du mich?«

Jack nickte nach einem kurzen Zögern. Welche Alternative hatte er schon? Und so brachen sie gemeinsam nach Morana auf.

# 6    Schleichwege

Es wurde bereits dunkel, als sie endlich in Morana eintrafen. Sie waren vorsichtig auf dem Weg hierher gewesen und hatten die gepflasterten Wege gemieden, um nicht einem Krieger in die Arme zu laufen. Willow hatte Jack während ihrer kleinen Reise erzählt, dass sie, wie die meisten Geschöpfe Ayins, über magische Fähigkeiten verfügte, und so konnte sie unter anderem Krieger bereits erkennen, bevor sich diese verwandelt hatten. Sie spürte sie schon auf eine Entfernung von wenigen Metern.

Sie betraten Morana nicht durch das Haupttor, sondern überstiegen eine kleine Mauer im Norden der Stadt, und befanden sich daraufhin im Armenviertel. Leise schlichen sie durch die dunklen Gassen, die von Unrat und Tod geradezu stanken. Unerwartet erstarrte Willow, zog Jack in einen Türeingang und legte ihm eine Hand auf den Mund. Dann hörten sie Schritte und in wenigen Minuten erschien ein hochgewachsener Mann in einem dunklen Umhang in der Gasse. Mit schreckerfüllten Augen wandte sich Jack Willow zu, aber zu seiner Verwunderung war ein Lächeln auf ihren Lippen erschienen und sie sprang aus ihrem Versteck auf die Straße dem Mann entgegen. Jack versuchte, nach ihr zu greifen, um sie zurückzuhalten, aber sie entwischte seinen Fingern. Das Mädchen lief auf den Mann zu, umschlang ihn mit ihren Armen und rief vor Freude: »Taboor, du lebst!«

Nun verließ auch Jack das Versteck und näherte sich den beiden. Neugierig betrachtete er den Mann mittleren Alters. War er Willows Onkel? Der Mann war in einem dunklen Mantel mit Kapuze gehüllt. Seine stahlblauen Augen glühten in der Dunkelheit. Taboor erwiderte irritiert, verwirrt und doch glücklich: »Willow, welch ein Glück …« Er verstummte.

Sein Verrat wurde beiden wieder gegenwärtig. Wie mit Leuchtfarben auf seine Stirn gepinselt stand die Frage im Raum: Warum hast du mich allein gelassen?

Willow, die sich fest an ihren Onkel gedrückt hatte, machte sich los und wandte sich Jack zu, sodass er die Tränen sah, die aus Freude ihre Wangen herunterliefen. Schnell trocknete sie ihre Lider, dann stellte sie die beiden einander vor. Während Jack und Taboor einen kurzen Händedruck tauschten, horchte Willow in sich hinein. Sie hatte geglaubt, dass ein Krieger in der Straße erschienen war. Wie hatte sie sich so täuschen können? Es war zweifelsfrei ihr Onkel. Taboor wirkte wie immer. Seine Augen waren normal. Er konnte keinen Krieger in sich tragen. Das konnte nicht sein. Obwohl ihr Körper weiterhin Alarm schrie, verwarf sie den Gedanken. Sie wollte daran glauben, dass nun alles gut werden würde.

Sie wandte sich an Taboor: »Was ist mit meinen Eltern? Leben sie noch?«

Willow war sich sicher, dass Taboor die Angst in ihren Augen sehen konnte. Sie war sich sicher, er hätte sie ihr gern genommen. Doch er schüttelte verzweifelt seinen Kopf und nahm seine Nichte in die Arme.

»Willow, es tut mir so leid. Ich fand ihre Leichname.

Ich habe sie in der Ruine eures Hauses begraben. Es tut mir so unendlich leid.«

Willow stieß einen erschrockenen Schrei aus, ihr Herz krampfte sich zusammen, der Schmerz nahm ihr den Atem. Ihre Augen füllten sich mit Tränen, doch sie kämpfte dagegen an. Sie erlaubte sich nur kurz, Taboors schützende Umarmung anzunehmen, dann entzog sie sich ihm. Sie wandte sich ab, den Blick zu Boden gerichtet. Sie vergrub die Trauer tief in sich, den Schmerz, der sie zu ersticken drohte. Eine harte, eisige Klammer legte sich fest um ihr Herz, damit es nicht in tausend Splitter zersprang.

Tonlos bat sie Taboor: »Ich möchte ihr Grab sehen.«

»Willow, es tut mir leid, aber das ist keine gute Idee. Dort suchen sie uns zuallererst.«

»Aber …«, Willow wollte protestieren, dann fragte sie stattdessen: »Gibt es noch welche, die gegen Brutanios kämpfen?«

»Alle sind tot!«

Willow schreckte erschrocken zurück und fragte verzweifelt: »Was können wir nur tun?«

Es wurde still um sie. Taboor, Willow und Jack sahen sich ratlos an und zogen sich in die Schatten der Häuser zurück. Sie hatten schon viel zu lange auf offener Straße herumgestanden.

Schließlich kam Taboor ein Gedanke: »Das Orakel! Dein Vater und ich hatten die letzte Zeit danach gesucht. Wir hatten gehofft, dass es uns eine Lösung gegen Kankarios nennen könnte. Dein Vater hat herausgefunden, dass es sich offenbar hier in der Stadt befindet. Ich weiß, wen er nach diesen Informationen gefragt hat. Ich glaube, dass ich seinen Aufenthaltsort in Erfahrung bringen kann. Gib mir ein paar Stunden Zeit. Ruht euch währenddessen etwas aus. Ich habe mich in der Wohnung unter dem Getreidelager verschanzt, dort seid ihr sicher; es ist die einzige Wohnung, die sie noch nicht gefunden haben. Wir treffen uns dort.«

Er drückte Willow einen hastigen Kuss auf die Stirn und schenkte ihr ein Lächeln, dann verschwand er im Dunkeln. Willow ergriff Jack am Arm und sie machten sich auf den Weg zur Zuflucht.


Nach einem riskanten Marsch durch die Stadt erreichten sie schließlich die Wohnung, die Willow »Leben« nannte. Trotz Willows Fähigkeit war der Gang durch Morana ein Spießrutenlauf gewesen. In den Straßen patrouillierten Gardisten und Krieger auf Brutanios' Order. Manchmal hatten sich die beiden nur in letzter Sekunde in einen Hauseingang oder eine dunkle Gasse retten können. So waren sie mehr als nur erleichtert, als Willow die schwere Eichentür entriegelte und sie eintreten konnten.

Vor ihnen lag ein kleiner Wohnraum. Relativ karg ausgestattet, einige Fellmatten lagen auf dem Boden und an einer Wand war ein einfacher Herd installiert, an dem kürzlich Essen zubereitet worden war. Einige Öllampen an den Wänden spendeten etwas Licht. An der Wand auf der gegenüberliegenden Seite führte eine Tür in einen Gang mit weiteren Zimmern.

»Warte bitte kurz hier, Jack«, sagte Willow, während sie auf die Tür zuging.

»Was, warum?« Jack drehte sich fragend zu ihr um, er war noch ganz gefangen von dem Eindruck des Raumes.

»Bestimmt gefalle ich dir in diesen Fetzen, doch ich möchte mich gern umziehen. Ich weiß nicht, ob es bei euch üblich ist, aber bei uns sieht man keiner Frau beim Umziehen zu«, meinte sie mit einem verschmitzten Lächeln und verschwand durch die Tür. Jack stutzte und musste dann amüsiert grinsen. Hatte sie seine Gedanken gelesen?

Willow kam kurz darauf zurück. Sie hatte sich frisch gemacht und trug neue Kleidung. Jack musste zugeben, dass es ihm den Atem verschlug. Sie war wunderschön. Ihr goldbraunes Haar, das sie gekämmt hatte, funkelte im Kerzenschein, ihre Augen glänzten. Willow trug ein leichtes weißes Kleid, das sich wie Seide an ihren Körper schmiegte und zarte weibliche Rundungen offenbarte. Der Stoff war mit goldenen Stickereien verziert und schillerte im Feuerschein. Um die Taille lag wie ein Windhauch ein feiner grüner Gürtel. Darüber trug sie einen dunkelblauen Umhang, der fast zum Boden reichte. Ihre Füße steckten in leichten Ledersandalen.

Über ihren linken Arm hatte sie Jacks Lederjacke gelegt, die sie ihm mit einem dankbaren Lächeln zurückgab. Zudem hatte sie noch Wechselkleidung für Jack dabei.

»Hier«, sagte sie, als sie ihm diese hinhielt. »Ich dachte

mir, du möchtest dich vielleicht auch etwas frisch machen.«

Mit dem Finger strich sie leicht über sein Gesicht, das schmutzverschmiert war. Ihr Blick wanderte seinen Körper abwärts. Seine Kleidung war schmutzig vom Kampf mit dem Krieger.

Jack nickte und nahm das Kleiderbündel entgegen.

»Danke, ich glaube, da hast du recht.«

Willow deutete nach hinten zur Tür, durch die sie gerade wieder hereingekommen war.

»Im Gang die rechte Tür – dort kannst du dich waschen und umziehen.«

Während Jack ihrem Fingerzeig folgte, wandte sie sich dem Herd zu. »Ich werde uns währenddessen etwas kochen. Du hast bestimmt Hunger.«

# 7    Das Orakel

Sie saßen im Licht der Öllampen auf zwei Tierfellen. Willow wärmte sich an einer Schüssel, in der sich ein Rest der Suppe befand, die sie aus ein paar Fleisch- und Gemüseresten gekocht hatte, und beobachtete Jack beim Essen. Es war schon merkwürdig, hier mit diesem Fremden allein zu sein. Sie wusste nicht genau, was sie von ihm halten sollte. Er schien freundlich, doch ging von ihm auch etwas Bedrohliches aus. Vielleicht bildete sie sich das auch nur ein, schließlich wirkte die Begegnung mit Brutanios noch nach und es schüttelte sie, als sie daran zurückdachte. Glücklicherweise hatte sie die Verwandlung vor Schlimmerem bewahrt.

Glaubte sie deshalb, dass etwas Dunkles, etwas Böses in Jack lauerte? Sie schob den Gedanken beiseite und nahm einen weiteren Schluck von ihrer Suppe. Als sie das Gefäß wieder senkte, blickte sie in Jacks Augen. Er sah sie an. Seine Schüssel hatte er leer neben sich auf den Boden gestellt.

»Erzählst du mir jetzt mehr von Ayin?«, fragte er sie.

»Natürlich, entschuldige. Wo soll ich anfangen? Ich habe dir ja schon gesagt, dass Ayin eine Welt voller Magie ist, in der viele Wesen magische Fähigkeiten haben. Es gibt auch viele verschiedene Wesen darin, die es wahrscheinlich nicht auf der Erde gibt. Ayin ist eine kleine Welt, die an ihren Grenzen von schroffen Felswänden definiert wird und sich in acht verschiedene Länder aufteilt.

Wir befinden uns gerade in Morana, der Hauptstadt von Moran, in dem hauptsächlich Menschen leben. Doch es gibt noch andere Länder und in ihnen leben fantastische Wesen. Das Reich der Schönheit, mit Elfen, Feen und anderen Lichtwesen …«

»Elfen, Feen?«, unterbrach er sie verwundert.

»Das Land der Dunkelheit, die Riesengebirge, die Silberminen und der Dunkle Wald. Zu guter Letzt gibt es auch noch Korloch, wo die Nymphen herrschen, und die Höhlen der Zeit«, spulte sie schnell herunter, bevor er sie wieder unterbrechen konnte.

»Riesen, Nymphen?«, Jack schüttelte den Kopf:

»Das hört sich verrückt an.«

Willow lächelte nachsichtig.

»Für mich ist das normal. Das ist meine Welt. Mein Zuhause!«


»Und was sind die Krieger? Wie nanntest du sie? Kanarios'?«

»Kankarios. Kankarios' Krieger. Sie werden von Kankarios ausgesandt, um ganz Ayin zu unterwerfen. Kankarios ist ein Ungeheuer in Spinnengestalt, das das ganze Land unterwerfen will. Und es schickt seine Krieger aus, diese Wesen, die aus Menschen schlüpfen, wenn sie sich in ihren Körper eingenistet haben. Der Schatten des Bösen fällt über ganz Ayin.«

»Und Brutanios hilft ihm?«, fragte Jack weiter.

»Ja, Brutanios hat sich mit Kankarios verbündet. Ich weiß nicht, wie sich ein Mensch mit so einem Ungeheuer verbünden kann, aber er hofft wohl, so die Macht über

Morana und ganz Moran an sich reißen zu können. Nun hilft er, jeden zu vernichten, der sich Kankarios noch in den Weg stellt. Am Anfang waren es viele, die sich widersetzten; viele Widerstandsgruppen, doch nun sind alle zerschlagen. Unsere fiel zuletzt. Brutanios stürmte eine Versammlung mithilfe eines Verräters. Er zündete das Haus meiner Familie an. Meine Eltern stellten sich ihm zum Kampf. Ich konnte fliehen, doch er verfolgte mich. Ich rettete mich in die Gestalt eines Baumes, doch er verfluchte mich, ewig in dieser Form zu bleiben, bis mich jemand erlöste.«

Willow verstummte und auch Jack blieb still. Das waren viele Informationen.

Schließlich rutschte er näher an sie heran. Sie sah auf.

»Das alles tut mir leid. Was mit deinen Eltern passiert ist.«

»Danke«, flüsterte sie.

Er sah, wie sich Tränen in ihren Augen bildeten. Sie wankte leicht und ihre Lippen zitterten.

Er wusste nicht, wie er damit umgehen sollte. Trauerbewältigung war noch nie seine Stärke gewesen.

Er wollte sie berühren, als plötzlich die Eingangstür aufgestoßen wurde. Willow sprang vor Schreck von ihrem Sitzplatz auf, beruhigte sich aber etwas, als sie den Eindringling erkannte. Doch nur kurz. Taboor stand vor ihr, vollkommen außer Atem, und brachte gerade noch hervor: »Sie kommen, sie kommen hierher. Wir müssen verschwinden!«

Willow ergriff ihren Umhang, den sie zum Essen abgelegt hatte, während Jack aufsprang und seine Lederjacke überzog, dann verließen die drei »Leben«, das wenige Minuten später starb.

Während sie durch die dunklen Gassen eilten, erklärte Taboor, dass er den Ort des Orakels ausfindig machen konnte und sie nur drei Häuserblocks weitermussten. Nach wenigen Minuten erreichten sie ein altes, verkommenes Gebäude und sie betraten es durch eine schwere Eichentür. Im Haus schien kein Licht, sodass sie vorsichtig sein mussten, um nicht irgendwo anzustoßen. Taboor führte sie über eine knarrende Holztreppe, der ein paar Stufen fehlten, in das Obergeschoss des Hauses und betrat am Ende des Gangs eine schmale Tür. Im Raum dahinter befanden sich nur ein verstaubter Kamin und ein altersschwacher Tisch.

»Los, weiter!«, rief Taboor, als Willow und Jack verwundert haltmachten.

»Durch den Kamin.«

Und schon war er darin verschwunden und kletterte eine verborgene Eisenleiter hinauf. Als die drei oben angelangt waren, bot sich ihnen ein seltsamer Anblick. Es war ein kleines Zimmer, das in ein rötliches Licht getaucht war, mit verschieden Schränken unterschiedlicher Größe und Farbe und der Boden war von dicken Teppichen bedeckt, auf denen der Staub von Jahrhunderten zu ruhen schien. Einige heruntergekommene Liegen und Stühle standen zerstreut im Zimmer herum. Nichts von Bedeutung, nichts, was auf das Orakel schließen ließ.

»Was nun?«, fragte Willow verwirrt. »Wo ist das Orakel?«

Taboor, der ihr einen fragenden Blick zuwarf, zuckte nur mit den Schultern:

»Vielleicht müssen wir es rufen. Ich weiß nur nicht wie.«

Jack trat näher an eine der Liegen heran und entdeckte dort eine gold-gelb getigerte Katze, die gerade von Mäusejagden träumte. Mit einem Lächeln setzte er sich neben sie und begann, sie hinter den Ohren zu kraulen. Früher, als seine Eltern noch lebten, hatten sie eine Katze besessen, und Jack hatte sie sehr gemocht. Leider war auch sie dem Bären zum Opfer gefallen, als sie ihn schützen wollte. Willow setzte sich neben ihn und beide beobachteten das Tier, das seine Liebkosungen zu genießen schien, sich vor Vergnügen wandte und schnurrte.

»Wenn uns die Katze nur sagen könnte, wie wir das Orakel finden können«, meinte Willow. Kaum hatte sie das ausgesprochen, glühten die Augen des Tieres hell auf.

Erst grün, gelb, dann … blutrot! Wie glühende Rubine. Die Katze wandte sich zu Jack, sie öffnete ihr Maul und sprach zu ihm mit einer tiefen Stimme, die ihn innerlich erschüttern ließ: »Mensch, du hast Hilfe vom Orakel des Alten Stammes erbeten. Sie möge dir nicht verwehrt bleiben, denn du hast dich als würdig erwiesen. Nun stelle deine Frage!«

Jack blickte kurz zu Willow und Taboor, die ihn aufmunternd ansahen, dann sprach er mit heiserer Stimme:

»Großes Orakel. Ayin ist bedroht. Von Kankarios und seinen Horden. Wie kann man ihnen Einhalt gebieten?«

Die Katze starrte ihn an, dann antwortete sie nach einer kurzen Pause:

»Sucht nach dem Goldenen Hund!«

»Wo kann man ihn finden?«

»Geht zum Volk des Schreckens und der Dunkelheit. Sie verfügen über dieses Wissen.«

»Die Vampire«, flüsterte Willow leise und ehrfurchtsvoll.

Jack lachte ungläubig auf. Tatsächlich Vampire? Wollten ihm alle hier einen Bären aufbinden? Natürlich, Vampire! Und bald würde er wohl Van Helsing höchstpersönlich begegnen. Oder Graf Dracula, das wäre noch besser.

»Ist das alles?«, fragte er nach.

Die Katze fauchte: »Ja, ihr habt das Wissen erhalten, um den Goldenen Hund zu finden. Macht euch sofort auf die Reise!«

Die Augen der Katze begannen zu flackern. Das Orakel war dabei, wieder zu verschwinden.

»Halt!«, schrie Jack. Er wusste noch nicht, wie er wieder nach Hause zurückkehren konnte. Willow hatte Taboor zuvor gefragt, doch er hatte auch keine Antwort gewusst.

Die Augen der Katze leuchten noch mal stärker auf.

»Orakel, sag mir, wie gelange ich auf die Erde zurück?«

Seine Frage erzürnte das Orakel erneut. Die Katze fauchte, verließ ihren Platz und sprang ihn wütend an. Jack wich erschrocken zurück. Sie schlug nach ihm, ihre Krallen kratzten sein Gesicht und rissen eine blutige Wunde in seine rechte Wange.

Jack stieß einen Schrei aus. Mehr aus Überraschung als

aus Schmerz. Er hielt seine verletzte Wange. Die Katze stand vor ihm und starrte ihn warnend an.

»Sucht den Goldenen Hund! Macht euch sofort auf den Weg!«

Dann drehte sie sich um und trottete zur Liege zurück. Sie sprang hinauf, legte sich eingerollt auf das weiche Polster und schlief ein. Und damit war der ganze Spuk vorbei.

Jack sah die Katze perplex an, sein Mund stand offen:

»Was, das soll alles gewesen sein?«

Willow sah ihn mitleidig an und kam dann auf ihn zu: »Anscheinend ist es unsere Aufgabe, gemeinsam den Goldenen Hund zu suchen.«

Sie untersuchte seine Wunde im Gesicht, dann berührte sie kurz den Schnitt und er war verschwunden. Jack sah ihr verwundert in die Augen und sie lächelte ihn verschmitzt an.

»Es scheint wohl so zu sein, dass wir länger zusammenbleiben werden«, meinte er mit einem Schmunzeln.

»Es tut mir leid. Du hast bestimmt Familie und Freunde auf der Erde, zu denen du bald zurückmöchtest.«

»Ehrlich gesagt nicht. Mich hält dort nichts.«

Kurz sahen sie sich stumm an, dann fragte Jack: »Der Alte Stamm?«

»Wesen, die einst über diese Welt geherrscht haben. Sie verschwanden vor langer Zeit«, antwortete Willow, als sie plötzlich erstarrte. »Nein! Sie haben uns entdeckt. Wir müssen hier raus. Sie befinden sich schon in diesem Stockwerk.«

Willow stürzte auf die Leiter zu, als Taboor ihr den Weg versperrte: »Ganz recht, mein Kind. Sie stehen vor dir.«

Mit diesen Worten verloren Taboors Augen ihr Blau. Er war nun auch nur noch die Hülle eines Kriegers. Tot. Ein Spielzeug des Feindes. Vielleicht schon, als Willow in der Nacht vor Brutanios floh. Deswegen hatte sie einen Krieger gespürt.

»Taboor, nein!«, schrie Willow.

Er lachte böse. Zuvor erstarrt drehte sich Jack herum, riss Willow mit sich und stürzte mit ihr die Leiter hinab. Er wollte die Tür zum Gang öffnen, als er ein Scharren davor hörte.

»Es sind noch mehr. Sie sind genau vor der Tür!«, schrie Jack und verriegelte die Tür.

Er hielt Ausschau nach einem anderen Fluchtweg. Es gab keinen. Sie hatten nur zwei Möglichkeiten. Die Leiter hinauf zu Taboor oder die Tür hindurch in noch mehr Kriegerklauen. Es war ausweglos.

Taboor stieg langsam die Leiter hinunter. Als Mensch. Er hatte sich noch nicht verwandelt. War noch nicht zu einem Insekt geworden. Er lachte:

»Wozu fliehen? Ich will euch nicht töten, nicht einmal verletzen. Ich soll euch nur beschäftigen, bis Brutanios sich persönlich euer annimmt, vor allem dir, kleine Willow. Ich habe gehört, wie du dich ihm geschickt entwunden hast. Aber diesmal wird es dir nicht gelingen.«

Er ergriff sie und hielt ihre Arme hinter dem Rücken zusammen. Sie versuchte, sich zu befreien, zu schreien, aber er erstickte jeden Laut mit schwerer Hand.

Jack wollte ihr zur Hilfe kommen, doch er ergab sich kampflos, als Taboor nun auch ihre Nase zuhielt. Willow versuchte, nach Luft zu schnappen, wand sich in seinem Griff. Jack hob beschwichtigend die Arme und Taboor ließ Willow wieder atmen. Sie keuchte schwer. Einen erneuten Widerstand wagte sie nicht. An der Tür hämmerte es heftiger. Bald würde das morsche Holz nachgeben. Taboor befahl Jack: »Öffne die Tür! Mein Herr wartet nicht gern …«

Er brach schnaubend ab, seine Hände lösten sich von Willows Körper. Das Mädchen sprang in Sicherheit und drehte sich herum.

»Willow«, brachte Taboor heiser hervor.

Seine Augen leuchteten noch einmal blau auf. Er kämpfte gegen den Krieger an, gegen den Schatten in sich. Kurz lächelte er, dann verzog er sein Gesicht vor Schmerzen.

»Ihr zwei müsst verschwinden. Kommt her, ich übertrage euch meine Fähigkeit der Unsichtbarkeit. Dann öffnet die Tür, ich stelle mich, und ihr entflieht unsichtbar.«

Willow begann zu weinen: »Nein, Taboor. Ich will dich nicht auch noch verlieren. Wir können es zu dritt schaffen.«

Taboor umarmte seine Nichte. Als sie sich berührten, flammte ein sanftes Licht auf.

»Willow, ich werden nun mein Versprechen, das ich deinem Vater gab, einhalten. Ich bin verloren. Bald wird mich der Krieger vollständig übernommen haben. Bald wird er mich …«

Er verstummte. Alle Anwesenden in diesem Raum wussten, wie ein Krieger die Übermacht gewann und schließlich den Körper seines Opfers zerriss. Taboors Augen zeigten die Furcht, die ihn zu übermannen versuchte.

»Ich bin tot, aber ich will ihn wenigstens mit mir ins Verderben reißen.«

Die Tür wurde aus den Angeln gerissen. Ein Krieger erschien. Ein überdimensionales Insekt türmte sich auf. Das Ungetüm schob sich in den Raum hinein. Hinter ihm erschien Brutanios. Sein roter Bart zuckte wie schießendes Feuer. Er erkannte Willow und lächelte sie an.

»Hallo, süßes Kind. Wo waren wir letztes Mal stehen geblieben? Wir waren doch in so aufgeheizter Stimmung.«

Er schritt auf sie zu, als sie verschwand. Sie wurde unsichtbar, genauso wie Jack neben ihr. Sie packte Jacks Hand und zerrte ihn aus dem Zimmer, während sich Taboor auf das Insekt stürzte. Willow und Jack rannten den Flur entlang, Kampfeslärm folgte ihnen. Als sie die Treppe hinter sich zurückgelassen hatten und aus dem Haus stürmten, hörten sie einen die Nacht durchdringenden Schrei. Darauf folgte Stille und die zwei wurden wieder sichtbar. Während sie durch die dunklen Gassen Moranas flohen, zeichneten silberne Tränen traurige Ornamente auf Willows Wangen. Ihr Onkel war tot.

# 8    Metamorphose

Die Nacht neigte sich bereits dem Ende zu, als sie Morana verlassen hatten und über die Felder stürmten. Sie waren mittlerweile am Ende ihrer Kräfte und trotzdem durften sie sich nicht ausruhen.

Kurz nachdem sie die Mauer Moranas überwunden hatten, hatten sie bemerkt, dass sie verfolgt wurden. Brutanios hatte ihnen einen Krieger hinterhergeschickt. Bestimmt war auch er selbst und weitere Männer seiner Garde hinter ihnen her.

Und obwohl sie so schnell liefen, wie sie konnten, mussten sie sich eingestehen, dass es nicht reichen würde. Der Krieger war ihnen im Hinblick auf Schnelligkeit und Ausdauer haushoch überlegen.

Jack sah hinter sich und erkannte, dass der Krieger bereits weiter aufgeholt hatte. Er war nur noch wenige hundert Meter entfernt, wogegen dieses besagte Land der Schönheit, zu dem Willow gelangen wollte, weit und breit noch nicht zu sehen war.

»Willow, was machen wir?«, rief er ihr verzweifelt zu.

Sie sah zu ihm und dann nach hinten, um auch den immer näher rückenden Krieger zu entdecken. Sie versuchte zu beschleunigen und strauchelte dabei. Mit einem leisen Schrei stürzte sie zu Boden.

»Nein, Willow!« Jack hielt neben ihr an und reichte ihr den Arm, um ihr hoch zu helfen. Als sie stand, knickte sie ein und fiel erneut zu Boden.

»Mein Knöchel, ich habe ihn mir wohl verstaucht«, erwiderte sie tonlos. Trotz Schmerzen erhob sie sich erneut und stützte sich auf Jack, um weiterzulaufen. Doch sie kamen nur schleppend voran.

»Da vorne sind die Ausläufer von Sirarin, dem Land der Schönheit.« Sie streckte ihren rechten Arm aus und deutete auf Schatten am Horizont.

»Dort sind wir sicher. Das Land verfügt über einen magischen Schutzschild, der die Krieger abwehrt.«

Doch sie würden ihn nicht erreichen. Hinter ihnen war der Krieger so nah herangekommen, dass sie sein Schnaufen hörten. Jack meinte sogar, schon seinen stinkenden Atem riechen zu können.

Es war vorbei. Ihre Flucht war zu Ende.

Sie blieben stehen und sahen zurück. Gleich würde der Krieger sie erreicht haben.

»Was tun wir? Was können wir tun?«, schrie Jack Willow fragend an. Er zückte sein Messer, er würde nicht kampflos aufgeben. Vielleicht gelang es ihm noch mal, einen Krieger zu besiegen. Willow blieb stumm, dann legte sie die Hand auf Jacks rechten Arm. Sie schüttelte den Kopf, das Messer würde er nicht brauchen.

»Willow, was?«, brachte Jack verwundert hervor.

»Alles wird gut«, erwiderte Willow, dann umschlag sie ihn von hinten mit ihren Armen.

»Halt dich gut an mir fest. Und rühre dich nicht vom Fleck. Was auch passiert.«

»Willow, was?«, fragte er sie, während er sich zu ihr umdrehte.

Sie packte ihn fester, dann sah sie auf zum Himmel. Jack erschrak. Ihr Körper glühte auf. Ihre Adern schienen sich mit etwas anderem als Blut zu füllen. Dann strebte das Mädchen in die Höhe, sie wuchs. Und Jack zog sie mit sich. Die Arme, die um seinen Körper lagen, wurden stärker, fester. Plötzlich meinte Jack den frischen Duft von jungen Blättern zu riechen. Als würde er in einem Wald voller austreibender Bäume stehen. Und was dann geschah, nahm ihm den Atem. Willow hatte ihn nicht belogen. Sie konnte sich verwandeln. Ihre Haut wurde hart und schroff, in ihren Haaren sprossen zarte grüne Blätter. Ihre Finger verlängerten sich und wurden zu Zweigen. Jack blickte verwundert in Willows Gesicht. Es verwandelte sich ebenfalls. Kurz funkelten ihre Augen auf, ihre Lippen verzogen sich zu einem Lächeln, dann war da nur noch raue Rinde. Der restliche Körper hatte sich währenddessen noch weiter in die Höhe geschoben, sodass Jack nun mehrere Meter über dem Boden hing, und sich vollkommen verwandelt. Willow war zu einer Weide geworden.

Die Äste, die Jack festhielten, hoben ihn in die Krone und legten ihn dort ab. Sofort umschlangen ihn weitere Zweige und bildeten einen hölzernen Schutzwall um ihn. Dann war der Krieger heran. Wütend schlug er auf den Baum ein, der unter den starken Hieben erzitterte, zerriss mit seinen Klauen die Rinde und versuchte, zu Jacks Versteck zu gelangen, aber er schaffte es auch mit dem größten Kraftaufwand nicht. Der Baum wand sich wie eine Schlange und bugsierte Jack immer wieder aus der Reichweite des Ungeheuers. Jack bemerkte aber, dass die Weide trotz ihrer Stärke schwächer wurde. Ihre Bewegungen wurden langsamer, ihr Körper hatte einiges an Hieben einstecken müssen. Die Rinde war an vielen Stellen aufgerissen; Harz zog sich über die offenen Stellen. Der Baum blutete. Doch sie gab nicht auf. Die Äste schlossen sich zusammen und holten zu einem gemeinsamen Schlag aus. Der Krieger konnte nicht einmal mehr schreien, das Gebilde aus Blättern und Ästen traf sein Genick und warf ihn zu Boden. Nach zwei weiteren Schlägen waren seine Lebenslichter ausgehaucht. Die Siegerin schwankte. Mit letzter Kraft löste der Baum die Äste um Jack und setzte ihn auf dem Boden ab, dann stürzte er zur Seite. Während seines Fallens verwandelte er sich wieder in Willow, er schrumpfte zusammen, die Haut wurde weich und rosig und die Blätter wichen dem seidig blonden Haar. Zum Schluss lag das Mädchen, wieder vollständig zurückverwandelt, im Gras.

Jack erschrak zutiefst, als er ihre Wunden sah. Die Verletzungen, die sie als Baum eingesteckt hatte, waren während ihrer Verwandlung nicht verschwunden. Sie blutete aus zahlreichen Schnitten und ihr Bauch war nur noch eine einzige große Wunde.

Zitternd kniete er sich neben sie auf den Boden. Sie war bewusstlos, atmete aber. Jack wandte sich ihren Verletzungen zu. Ihre Arme und Beine trugen Schnitte. Sie bluteten, waren aber nicht bedrohlich. Auch über ihr Gesicht zog sich eine offene Wunde. Doch Jack machte sich Sorgen über die Verletzung, die in ihren Bauch geschlagen worden war. Vorsichtig versuchte er, die Stofffetzen ihres Kleides aus der Wunde zu ziehen, um den entstandenen Schaden besser einschätzen zu können. Zuerst sah er nur Blut. Er sah genauer hin und konnte erkennen, dass die Wunde aus mehreren Schnitten bestand. Viele waren rein oberflächlich, die Krallen des Ungeheuers waren nur wenige Zentimeter in die Haut eingedrungen. Keine Verletzung war so tief, dass er befürchten musste, wichtige Organe seien betroffen. Doch waren etliche Blutgefäße durchtrennt worden. Willow verlor viel Blut. Und das machte ihm Angst. Er zog seine Lederjacke aus, riss einen Ärmel von seinem Hemd ab und presste ihn auf die Wunde. Der weiße Stoff saugte das Blut auf wie ein Schwamm – er ertrank im Blut. In wenigen Sekunden war er so rot wie die Verletzung. Doch der Blutfluss stoppte nicht. In schierer Verzweiflung riss Jack den zweiten Ärmel seines Hemdes ab und drückte ihn auf die Wunde. Es half nichts. Panik durchflutete ihn. Sie durfte nicht sterben. Er durfte sie nicht verlieren …

Er war so voller Sorgen, dass er erst gar nicht bemerkte, wie Willows Körper sachte aufleuchtete. Erst als das Glühen intensiver wurde und gleichzeitig Wärme hinzukam, nahm er es wahr. Erschrocken wollte er seine Hand von ihrem Bauch lösen, die Wärme wurde unangenehm, doch es gelang ihm nicht.

# 9    Raub

Hilflos und voller Erstaunen beobachtete Jack, wie seine Hand von innen heraus aufleuchtete. Bald erstrahlte sie und Willows Körper in einem goldenen Licht. Dann, als der Lichtstrahl abklang, zog etwas – er wusste nicht was und konnte es nicht beschreiben – seine Kraft, sein Leben, seine Energie aus ihm heraus. Er fiel innerlich nach vorne, musste sich mit aller Kraft festhalten, um nicht aus seinem Körper herausgerissen zu werden. So schien es ihm. Als der Sog schwächer wurde und dann vollständig abklang, fiel Jack schwer atmend neben Willow ins Gras. Luft in sich einsaugend versuchte er, zu Kräften zu kommen. Man hatte ihn innerlich beraubt, sich seiner Lebensenergie bemächtigt. Jack fühlte sich in seinem Inneren schwer verletzt. Er presste seine Fäuste auf die Brust, um das schlimme Gefühl, die Scham, die Demütigung zu unterdrücken. Doch es gelang ihm nicht, das Gefühl quälte ihn weiterhin. Abrupt erhob er sich und starrte wutentbrannt auf Willow. Hatte sie ihm das angetan? War sie die Diebin seiner Seele? Er biss die Zähne zusammen, er ballte seine Hände zu Fäusten. Doch dann …

Was er sah, ließ ihn stocken. Willows Wunden hatten sich geschlossen.

Wie betäubt sackte Jack in sich zusammen, sein Blick wurde starr. Still saß er einige Minuten neben ihr. Ihre

Wunden waren verheilt, sie atmete ruhig, doch sie erwachte nicht. Dann hörte er erneut Geräusche in der Ferne. Weitere Krieger waren auf dem Weg zu ihnen. Einen letzten Blick auf das tote Insekt geworfen – dann hob er Willow hoch, wickelte sie in ihren Umhang und floh.

Nach wenigen hundert Metern sackte er schwer atmend auf die Knie. Er versuchte, schnappend wieder zu Atem zu kommen. Kurz setzte er Willow auf dem Boden ab. Sie war immer noch bewusstlos. Er schüttelte sie leicht, doch sie erwachte nicht. Jack sah zurück. Zu seiner Erleichterung sah er noch keine Krieger. Doch er hörte sie. Er musste sich beeilen, er musste weiter! Sonst war es um sie beide geschehen und Willows Opfer umsonst gewesen. Die Sonne ging auf, bald würde es völlig hell und sie würden ihrer letzten Tarnung beraubt sein. Entkräftet zog er sich und Willow in die Höhe und schleppte sich weiter. Die Silhouette des Waldes vor ihm trieb ihn an, ließ ihn seine Erschöpfung vergessen.

Und dann geschah es tatsächlich. Er erreichte Sirarin. Mit letzter Kraft warf er sich in den Wald hinein. Er erschrak nicht einmal mehr, als er bemerkte, dass der Wald nicht aus Bäumen, sondern aus überdimensionalen Blumen und Gräsern bestand. Taumelnd kämpfte er sich vorwärts. Einige hundert Meter weiter. Einen Schutzwall zwischen sich und die Krieger bringend. Seine Kraft versagte endgültig, als er auf eine Lichtung stieß. Sie war in warmes Sonnenlicht getaucht und in ihrer Mitte ruhte ein kleiner, kristallklarer Weiher. Sein Wasser leuchtete himmelblau und dieser Ort strahlte so viel Ruhe und Frieden aus, dass sich Jack unter dem Schutz eines Gänseblümchens am Ufer des Gewässers niederließ. Aus seinen kraftlosen Armen rutschte Willow zu Boden. Immer noch verwirrt strich er über die geheilte Haut an ihrem Bauch und versuchte, etwas getrocknetes Blut zu entfernen, dann kniete er sich neben ihren Kopf nieder und hob ihn in die Höhe, sodass er ihn auf seine Oberschenkel betten konnte. Zärtlich strich er eine goldene Strähne aus ihrem schlafenden Gesicht, als sein Zorn erneut entflammte. Er ließ ihren Kopf los, krampfte seine Hände zu Fäusten. Jack schloss langsam seine Augen und versuchte, mit tiefen Atemzügen die Schmerzen in seiner Seele verschwinden zu lassen, doch er schaffte es nicht. Resigniert öffnete er sie wieder und er sah, wie sich ein zweites Augenpaar, nämlich das unter ihm, zu öffnen begann. Schnell legte er ihren Kopf auf den Boden ab und erhob sich. Er konnte ihren Blick nicht ertragen. Die Augen einer Diebin. Seelendiebin. Jack entfernte sich einige Meter, setzte sich schließlich auf einen kleinen Felsen und beobachtete das erwachende Mädchen.

Willow erwachte langsam und mit viel Mühe. Zuerst blickte sie sich suchend um, wobei sie erst langsam erkannte, dass sie in Sirarin war. Über ihr der blaue Himmel und ringsherum wunderschöne Blumen in allen nur erdenklichen Farben. So viel Friede und Ruhe, fast wäre sie wieder in die Bewusstlosigkeit versunken. Aber nein, das durfte sie nicht – nicht mehr. Etwas war wichtiger, zu wichtig, um es länger aufzuschieben, und das war Jack. Zuerst leise, dann mit erstarkender Stimme rief sie nach ihm, verwundert, dass er sich nicht meldete. Vorsichtig zog sie sich Stück für Stück in die Höhe, bis sie auf dem Boden saß. Als sie sich umsah, erblickte sie Jack, der einige Meter von ihr entfernt saß und seinen Blick zu Boden gerichtet hatte. Sie rief immer wieder seinen Namen, aber er rührte sich nicht.

Jack hörte Willow seinen Namen rufen. Immer wieder. Was wollte sie denn, die verlogene Hexe? Ihn weiter verletzen, nochmals seiner Seele berauben? Nein, er würde sie nicht heranlassen. Niemand durfte ihn so verletzen.

Ihre Stimme verebbte und dann saß sie auf einmal vor ihm. Vorsichtig ergriff sie sein Kinn und hob es an, sodass sich ihre Augen trafen. Jack wandte seinen Blick ab und schlug ihre Hand beiseite.

»Jack, was ist?‹, fragte ihn das Mädchen, während sie Augenkontakt suchte.

»Du weißt schon … Was hast du getan?!«, erwiderte Jack, erst leise, dann schrie er.

Wütend starrte er sie an. Willow zuckte zusammen, dann versuchte sie, ihn zu beschwichtigen: »Jack, es tut mir leid. Ich brauchte deine Energie, um zu leben. Ich wäre sonst gestorben. Wenn ich in der Lage gewesen wäre, hätte ich es dir gesagt. Doch dafür war keine Kraft.«

Langsam hob sie ihre Hand, ergriff die seine und presste sie an ihre Brust. Kurz glühten beide Hände auf, dann legte Willow sie an Jacks Brustkorb. Wiederum erschien ein Leuchten und danach sackte Willow zusammen, hielt sich an ihm fest. Sie rang schwer nach Atmen. Sie zitterte. Leise flüsterte sie in sein Ohr: »Was du mir in größter Not geliehen, sei nun wieder dein!«

Einige Minuten lehnte sie an ihm. Jack beobachtete sie zuerst mit großer Verwirrung, dann realisierte er, wie seine Wunden in seinem Inneren heilten. Er fühlte sich wieder ganz. Die Scham, die Schmach, die Wut lösten sich auf. Willow hatte ihm seine Kraft zurückgegeben. Bevor er ihre Nähe wirklich wahrnahm – ihr Atem strich über seinen Hals – und er darauf reagieren konnte, löste sie ihre Hände von ihm und erhob sich. Fröhlich sah sie sich um, dann lachte sie ihn an.

»Du hast wirklich einen schönen Platz ausgesucht.«

Er sah sie verstört an, dann lachte er mit.

»Das war wirklich purer Zufall oder eher blanke Verzweiflung.«

Sie ging zum Ufer des Teiches und kniete sich hin. Sie versuchte, ihr Kleid vom Blut zu reinigen. Doch sie war nicht besonders erfolgreich. Jack erhob sich ebenfalls und folgte ihr. Kurz beobachtete er sie bei ihren fruchtlosen Bemühungen, dann überkam es ihn. Neckisch stieß er Willow in den Teich. Sie schrie auf, kämpfte vergebens um ihr Gleichgewicht und landete im Wasser.

»Hilfe, ist das kalt!«

Dann stürzte sie herum, griff nach Jack, der sich noch über seinen Streich freute, und zerrte ihn ebenfalls ins Wasser. Er versuchte, sich ihrem Griff zu entwinden, doch sie warf ihn kopfüber in den Teich. Prustend kam er wieder an die Wasseroberfläche und tauchte nun die kichernde Willow unter. Kurz gaben sie sich wie Kinder dem Spaß einer tosenden Wasserschlacht hin, dann trieb sie die Kälte an Land. Willow verließ zuerst den Weiher, Jack folgte ihr, blieb aber im Wasser stehen, als sein Blick auf ihren Körper fiel. Die Nässe drückte den dünnen Stoff ihres Kleides an ihren Leib, ihre weiblichen Rundungen traten ungeschützt hervor. Unter dem Kleid trug sie nur einen Slip und neugierig wanderten Jacks Augen ihren Körper hinauf, doch Willow war sich der misslichen Lage ihres Kleides wohl bewusst und verschränkte die Arme vor der Brust.

Jack senkte seinen Blick, dann trat er ebenfalls an Land. Er fror. Und ein Blick zu Willow offenbarte, dass es ihr ebenso ging. Sie zitterte. Sie bemerkte, dass er sie ansah, und meinte nur: »Mir ist kalt.«

Dann ging sie zu der Stelle, wo ihr Umhang liegen geblieben war, hob ihn auf, wandte Jack den Rücken zu und glitt aus ihrem nassen Kleid. Schnell, noch bevor Jack ihren Körper näher in Augenschein nehmen konnte, wickelte sie sich in ihren Umhang. Dann kam sie zurück und legte ihr Kleid nahe am Ufer in die Sonne zum Trocknen. Sie gähnte.

»Ich bin hundemüde. Lass uns doch ein bisschen schlafen. Wir sind hier sicher.«

Damit legte sie sich in den Sand, fest in den Umhang eingewickelt, blinzelte in die Sonne, dann war sie eingeschlafen. Jack schmunzelte, dann glitt er aus Jacke, Hemd und Hose und ließ sich in Unterwäsche ebenfalls auf dem weichen Sand nieder und sank innerhalb weniger Minuten in einen tiefen Schlaf.

# 10   Verrat

Die Verfolger erreichten die Stelle, an der Willow den Kampf gewonnen hatte. Es waren drei Kankarios' Krieger und Brutanios selbst. Wütend erkannte er den toten Insektenkörper, dann wandte er sich mürrisch ab. Von dem Mädchen und ihrem Begleiter war keine Spur zu sehen. Bestimmt waren sie nach Sirarin geflüchtet. Sie waren zu spät gekommen. Erzürnt schrie er die Krieger an. Sie waren dumme Insekten. Zu dumm, um zu denken. Für nichts zu gebrauchen. Es waren nur zwei Kinder. Und sie waren entkommen. Er schimpfte auf Kankarios. Was tat er schon? Wäre er Herrscher über Ayin, würde es anders laufen. Dann würden ihm bereits jetzt alle Völker huldigen. Er erhob sich zum neuen Herrscher über Ayin. Lange blickten ihn die Facettenaugen der Insektenwesen an. Sie schienen blöd und blind.

Doch dann sprachen die drei Krieger: »Kankarios ist unser Herr. Kankarios ist unser Herr.«

Der Singsang wurde lauter, monotoner, härter. Sie umringten Brutanios. Unter dem Klirren der Klauen, dem monotonen Sprechgesang der Chitinmäuler brach der einstige Herr schwer getroffen zusammen. Ein Schrei verkündete seinen Tod. Dann war es still.

## 11    Kleine Prinzessin

Als Willow aus einem erholsamen Schlaf erwachte, war die Mittagsstunde vorüber. Sie gähnte zufrieden und griff nach ihrem Kleid. Es war getrocknet und sie schlüpfte hinein. Nachdenklich begutachtete sie das Loch in Bauchhöhe. Das Blut war fast vollständig herausgewaschen. Der Stoff war zerfetzt. Willow erahnte, wie die Wunde ausgesehen haben musste. Kurz zuckte sie zusammen, als sie sich an die Schmerzen, die sie als Baum gespürt hatte, erinnerte. Gedankenverloren strich sie sich über ihre verheilte Haut, dann wandte sie sich um und beobachtete Jack, der neben ihr schlief. Ihre Augen glitten über seinen nackten Körper. Sie musste zugeben, dass ihr gefiel, was sie sah. Die glatte, reine Haut, unter der kräftige Muskeln ruhten. Ihr Gegenüber war muskulös, er war offensichtlich harte körperliche Arbeit gewohnt. Auch sein Gesicht sagte ihr zu. Diese noch leicht kindlichen Züge, die Jack aber mit gespieltem Ernst zu überdecken suchte. Das braune kräftige Haar, die strahlenden blauen Augen.

Sie bemerkte, dass ihre Sympathie für ihn wuchs. Sie hatten sich bereits gegenseitig ihr Leben anvertraut, waren füreinander eingestanden, hatten gemeinsam gekämpft.

Willow wurde aus ihren Gedanken gerissen, als Jack sich bewegte. Er erwachte, streckte sich und sah sie an. Sie lächelte zurück, erstaunt, wie schnell sie mit ihm vertraut geworden war. Dann erhob sie sich.

»Was hältst du davon, wenn wir aufbrechen?«, fragte sie ihn, während er ebenfalls aufstand und sich anzog.

»Gern. Du hast nicht zufällig etwas zu essen?«, fragte er sie, während er seinen knurrenden Bauch hielt.

Willow lachte, dann bemerkte sie, dass sie selbst Hunger hatte. Ihre letzte Mahlzeit war gestern gewesen. Kurz überlegte sie, sah sich um.

»Warte hier, dein Hunger wird gleich gestillt werden«, versprach sie ihm, dann verließ sie ihn augenzwinkernd und verschwand im Wald.

Jack sah ihr verwundert nach und wartete voller Ungeduld auf ihre Rückkehr.

Er musste sich nicht lange gedulden. Willow kam nach wenigen Minuten zurück auf die Lichtung und in ihrem Arm hielt sie … Jack glaubte seinen Augen nicht. Sie hielt einen Strauß Blumenköpfe. Riesige Blüten. Aus dem Wald der Schönheit gepflückt. Ihre schwere Last legte sie vor seinen Füßen nieder, dann setzte sie sich. Er tat es ihr gleich und sah sie staunend an.

»Kann man das essen?«

Willow lächelte ihn nachsichtig an. Sie hob einen Blütenkopf und brach den Blütenkelch so auf, dass sie an den Nektar herankam.

»Hier, probiere es.«

Und damit hielt sie ihm den süßen Blütensaft hin. Er kostete davon und musste zugeben, dass es nicht schlecht schmeckte. Im Gegenteil, es war gut. Sehr gut sogar!

Voller Vergnügen kostete sie die verschiedenen Blumen, die Willow gesammelt hatte, bis Jack eine Narzisse in die Hand nahm. Sie schimmerte von innen heraus. Ein leichtes, goldenes Glühen.

»Willow, was ist das?«, fragte Jack sie verwundert.

Zögernd hielt er dem Mädchen den Blütenkelch hin. Willow sah hinein, drehte den Blütenkopf hin und her, um so den Grund für das Leuchten zu entdecken. Dann klärte sich ihr Gesicht. Sie wusste es. Verschmitzt lächelte sie Jack an, der sie fragend musterte, und schob langsam ihren rechten Zeigefinger in Richtung des Lichtes. Sie lachte auf, als sie das Licht berührte, dann zog sie ihre Hand zurück. Das Leuchten folgte ihr und Willow lächelte glücklich.

Jack schob sich näher heran und starrte auf das Leuchten, das an ihrem Finger zu hängen schien. Er erkannte eine kleine, leuchtende Gestalt, höchstens fünf Zentimeter groß, die ein dünnes Kleidchen trug, und ihre Arme und Beine waren so klein und fein, dass Jack befürchtete, eine Berührung könnte sie zerbrechen lassen wie feines Glas. Ihr Gesicht schien wie von einer anderen Welt, klein und zart mit Jadesteinchen als Augen und gesponnenem Gold als Haar. Zu guter Letzt die Flügel, die am Rücken flatterten. Fein wie Schmetterlingsschwingen, zart wie Seide und leuchtend wie ein Wassertropfen, auf den die Sonne fällt.

Der Anblick des zierlichen Geschöpfes erfüllte ihn mit einem Glücksgefühl, das Jack nicht für möglich gehalten hätte. Dieses Wesen, das sich an Willows Finger festhielt, war eine Fee. Er hätte nicht gedacht, dass er jemals eine zu Gesicht bekommen würde. Die Fee erhob sich von der Hand des Mädchens und stellte sich vor:

»Seid gegrüßt. Mein Name ist Rachel Sio Cassin, aus dem Geschlecht Jade, dritte Generation der Feen des Ostens.«

Jack stutzte, schwieg aber. Dann folgte er Willows Vorstellung.

»Willow, Tochter von Soor und Maiara, aus dem Geschlecht der Metamorphorier von Dana.«

Jack sah Willow fragend an. Den Begriff Metamorphorier kannte er noch nicht, aber bevor er etwas sagen konnte, kam ihm Rachel zuvor. Sie lächelte freudig und rief aus: »Eine Metamorphorierin! Dass ich einmal eine kennenlernen würde, hätte ich nicht gedacht. Ihr seid selten geworden! Ich habe von Zeiten gehört, als die Metamorphorier zahlreich waren. Sogar die Feen hatten regen Umgang mit ihnen. Doch nun … Du bist die Erste, die ich in meinem Leben treffe. Was ist geschehen?«

Traurig senkte Willow den Kopf.

»Kankarios jagt uns. Tötet uns. Unser altes Geschlecht stirbt aus. Meine Familie war die letzte, von der ich weiß.«

Sie verstummte, dann sprach sie leiser weiter: »Und nun bin ich die Einzige.«

In der Stille, die kurz entstand, wagte Jack einen erneuten Versuch: »Bitte, was sind Metamorphorier?«

Willow sah ihn erst verwirrt an, dann lächelte sie.

»Wir sind ein besonderes Menschenvolk. Wie du bereits gesehen hast, können wir uns verwandeln. Das ist unsere Gabe! Und Kankarios hat früh erkannt, welche Gefahr von uns dadurch ausgehen könnte. Deshalb verfolgt er uns so.«

Jack nickte dankbar, dann wandte Rachel sich ihm zu: »Und Ihr, seid Ihr aus dem einfachen Menschenvolk Morans, sodass Ihr die Metamorphorier nicht kennt?«

Jack schüttelte abwehrend den Kopf.

»Nein, nein, ich komme nicht aus Ayin.«

»Nicht aus Ayin?«

Interessiert sah Rachel ihn an.

»Ich komme von der Erde.«

»Von der Erde?! Es gibt also immer noch Zugänge. Früher hörte man öfter von Erdenbewohnern, die ihren Weg nach Ayin fanden. Doch das ist lange her. Merkwürdig. Ich dachte, du wärst aus Ayin.«

»Wirklich?«, fragte Willow zögernd.

»Ja, ich dachte, wegen seiner blauen Augen. Und seiner Aura. Aber ich habe Erdenbewohner davor auch noch nie getroffen, doch ich dachte, dass sie die Fremdheit an sich tragen. So wie es Berichte früherer Begegnungen erzählen. Was verschlägt euch nach Sirarin? Ist Moran nicht mehr sicher?«

»Wir sind vor Brutanios und seinen Kriegern geflohen. Er macht offen Jagd auf alle, die sich ihm widersetzen. Doch nun ist die letzte Widerstandsgruppe vernichtet.«

»Das tut mir leid. Ihr braucht keine Angst mehr zu haben, hier seid ihr sicher!«

»Wir müssen weiter. Wir haben vom Orakel des Alten Stammes in Morana erfahren, dass Rettung von Kankarios möglich ist. Die Vampire sollen das Wissen über den Retter Ayins, über den Goldenen Hund, besitzen. Deshalb sind wir auf den Weg ins Land der Finsternis.«

»Der Goldene Hund? Ich habe noch nie davon gehört. Aber wenn es das Orakel verkündet hat. Ich wusste nicht, dass es noch existiert.«

»Willst du uns auf unserer Reise begleiten? Wir können jede helfende Hand gebrauchen.«

Rachel schwieg kurz, sie rang mit sich selbst, dann nickte sie.

»Ich helfe euch.«

Einige hundert Meter weiter trafen die Krieger, die sich ihres menschlichen Herren entledigt hatten, immer noch den Duft Willows und Jacks in ihren Nasen, auf die Ausläufer Sirarins. Sie stoppten. Die Magie dieses Ortes hielt sie zurück. Sie konnten keinen Schritt weitergehen. Wütend spien sie aus, nach einem kurzen Moment des Tobens verzogen sie sich in den Schatten und warteten. Sie waren in unmittelbarer Nähe einer Straße. Nach einiger Zeit kamen zwei Lichtmenschen des Weges. Sie waren von Erkundungsgängen in Moran auf den Weg nach Hause. Sie spürten nur ein leichtes Stechen in ihren Seelen, als die Krieger in ihre Körper fuhren. In den geweihten Leibern der Lichtwesen überschritten die Monster ohne Schwierigkeiten die Grenzen Sirarins. Die Pest hatte ihren Weg auch ins Land der Schönheit gefunden.

»Danke, liebliches Geschöpf. Können wir aus Sirarin auf Hilfe hoffen? Können wir zum König der Lichtwesen?«, fragte Willow.

»Hilfe aus Sirarin?! Zum König der Lichtwesen? Weißt du nicht? Unser König ist tot. Seit Jahrzehnten stirbt jeder König spätestens nach einem halben Jahr seiner

Regentschaft. Erst hielt es das Volk für einen Zufall, doch es ist nicht zu leugnen, auf dem Amt des Königs liegt ein Fluch. Seitdem der letzte Herrscher letztes Jahr gestorben ist, hat es niemand mehr gewagt, die Krone zu ergreifen. Der Thron ist verwaist, der Palast tot. Sirarin quasi führungslos. Einige Stammesführer versuchten, eigene Herrschaften aufzubauen, doch unser Land ist instabil, ohne Führung. Unsere unterschiedlichen Völker getrennt. Während des Königreichs waren alle Wesen vereint, die Lichtmenschen, die Feen und die geflügelten Pferde. Nun geht jede Art ihren eigenen Weg. Bis jetzt funktioniert das Zusammenleben, doch ich weiß nicht, was geschehen wird, wenn die Bedrohung unser Reich genauso treffen würde wie Moran.«

»Der Thron verflucht? Davon wusste ich nichts.«

»Unser großer Herrscher, Sirair, der Spiegel, Mitglied des Alten Stammes verschwand am Höhepunkt seiner Herrschaft. Plötzlich, von einem Tag auf den anderen. Man suchte nach ihm, doch es dauerte lange, bis man ihn fand. Er war in einem großen grünen Kristall gefangen. Er schien zu leben, doch niemand konnte ihn befreien. Noch bis zum heutigen Tage, hundert Jahre später, ist er in seinem Gefängnis zu sehen.«

»Sirair? Der Alte Stamm?«

Jack mischte sich in die Unterhaltung ein, er war neugierig geworden: »Er soll über Ayin geherrscht haben?«

Kurze Zeit sahen Rachel und Willow Jack mit einem undeutbaren Blick an, dann antwortete Rachel: »Ja, der Alte Stamm herrschte über Ayin. Es ist hundert Jahre her. Es soll eine friedliche Zeit gewesen sein, voller Glück und Freude. Doch etwas geschah. Sie verschwanden. Unseren König, Sirair, fand man schließlich zum Kristall erstarrt, doch was mit den anderen geschehen ist, kann ich nicht sagen. Willow?«

Die Angesprochene verneinte.

»Auch Moran wurde von einem Mitglied des Alten Stammes regiert. Von einer Frau. Miral, unsere weise Königin. Auch sie verschwand.«

»Herrschte über jedes Land ein anderes Mitglied?«, fragte Jack.

Rachel antwortete: »Ja, das ist richtig. In Sirarin herrschte Sirair. Ein mildtätiger, weiser König. Er trug die Gestalt der Lichtmenschen, verstand aber auch die Lebensweise der Feen und geflügelten Pferde.«

»Wie Miral. Sie soll wie eine menschliche Frau ausgesehen haben«, fügte Willow hinzu.

»Auch in Nómai regierte der Alte Stamm und im Dunklen Wald bestand eine große Herrschaft. Nur in den Riesengebirgen, dem Reich der Zwerge und am Fluss Airm gab es keine großen Königreiche. Zwar weilten dort auch Mitglieder des Alten Stammes, doch hatten sie sich schnell von ihrem Anspruch zu herrschen gelöst. Dann verschwanden sie alle plötzlich. Niemand kann mehr sagen, ob es Zeichen dafür gab, ob sich davor schon etwas geändert hatte. Kankarios erschien erst Jahrzehnte später. Sie hätten ihn bestimmt besiegen können …«

»Gibt es Stammesführer, die uns helfen würden?«, fragte Willow, um wieder auf ihre Bitte zurückzukommen. »Würden deine Gefolgsleute uns helfen?«

Rachel sah sie traurig an.

»Von den Feen könnt ihr keine Hilfe erwarten. Sie kümmern sich nicht um die Belange anderer. Außerdem ist gerade die Phase der Abschottung. Einmal im Jahr sperren sich die Schwärme der Feen ein. Sie verschließen sich in ihrem Bau und sorgen sich nur um ihren Nachwuchs. Sie verlassen ihren Bau nicht, sie leben von ihren Vorräten. Sie würden jeden angreifen, der sie stört.«

»Und du? Du bist draußen«, fragten Jack und Willow wie aus einem Mund.

Rachel lächelte verlegen.

»Ich bin eine Prinzessin. Wir verlassen den Schwarm, bevor er sich einschließt, und müssen draußen allein zurechtkommen. So auch die Prinzen; sie verlassen ebenfalls ihre Heimat. Unter ihnen müssen wir einen Partner wählen, um einen neuen Schwarm zu gründen. Ich bin nun einen Monat allein, vertrieben von meinem Volk, meiner Familie, meinen Freunden. Eigentlich müsste ich einen Partner suchen, doch ich bin noch nicht so weit. Doch irgendwann kann ich meinem Los nicht mehr entgehen. Entweder ich folge den Gesetzen des Schwarms und gründe einen eigenen, oder ich werde für immer allein bleiben.«

»Und was ist mit den Lichtmenschen?«

»Von ihnen weiß ich nichts. Ich weiß nicht, ob sie euch helfen würden. Wir Feen haben noch nie viel mit ihnen zu tun gehabt.«

»Kannst du uns zu ihnen führen? Wir können jede Hilfe gebrauchen, die wir kriegen können, wenn wir zu den Vampiren wollen.«

»Wie gesagt kümmern wir Feen uns nicht um die

Lichtmenschen. In der Nähe ist der grüne Kristall, in dem Sirair eingesperrt ist. Dies schreckt sie ab. Es gibt keine Ansiedlungen im näheren Umkreis. Zumindest bin ich noch nie auf eine gestoßen. Jedoch die Brücke, die nach Nómai führt, ist auch ganz in der Nähe. Über die kämen wir direkt ins Land der Dunkelheit. Ich kenne den Weg.«

»Vielen Dank, liebes Geschöpf«, bedankte sich Willow und küsste die zierliche Hand Rachels.

»Dann machen wir uns gleich auf den Weg.«

Und damit verließen sie die Lichtung und begaben sich auf einem gepflasterten Weg tiefer nach Sirarin hinein.

# 12    Ein gebrochener Flügel

Die Gruppe hatte keine hundert Meter zurückgelegt, als ihr lautes Hufgeklapper entgegenschlug. Zögernd blieben Jack und Willow stehen, und auch Rachel stoppte im Flug.

»Was ist?«, brachte Jack heraus, bevor er ein lautes Geschrei und Gewieher wahrnahm.

»Hilfe! Rettet mich, da will mich jemand auffressen!«, hallte es aus kleiner werdender Entfernung in den Blumen wider.

Erschrocken trat Willow vom Pfad herunter und zog Jack mit sich. Keine Sekunde zu früh. Kaum hatten die beiden den sicheren Wegrand betreten, stürzte ein schneeweißes Pferd aus dem Gestrüpp vor ihnen auf den Pfad. Es schrie panisch um Hilfe. Verstört stoppte es und warf wild sein Haupt hin und her. Erst als sein Blick auf die kleine Fee fiel, schien eine große Last von ihm abzufallen.

»Rachel, welche Freude! Ich habe dich gefunden.«

»Myth, mein Freund, was ist mit dir geschehen?«, erwiderte die Fee, während sich Jack und Willow dem Pferd näherten.

Dessen Fell war von einem so hellen und leuchtenden Weiß, dass es im Sonnenschein geradezu funkelte. Doch das beachtete Jack überhaupt nicht. Etwas anderes verwirrte ihn zutiefst. Das Tier konnte sprechen. Und wäre das nicht genug gewesen. Es besaß Flügel. Wirkliche

Flügel. Groß, ausladend. War es ein Pegasus? Genauso eine Sagengestalt, mit dessen Hilfe Bellerophontes die Feuer speiende Chimäre besiegte? Das wilde, zuvor unzähmbare Wesen, das sich erst mit dem goldenen Halfter der Göttin Athene bändigen ließ?

Jack sah fragend zu Willow. Sie antwortete ihm flüsternd, so leise, dass er das Wort »Pegasus« auf ihren Lippen viel mehr erahnen als hören konnte.

Nun entdeckte das Pferd, dass Rachel nicht allein unterwegs war, und es wandte sich interessiert den beiden Begleitern zu.

»Seid gegrüßt. Wie unhöflich von mir. Ich hatte euch gar nicht gesehen.«

Willow lächelte das Pferd nachsichtig an und begrüßte es freundlich.

»Was ist geschehen?«, fragte Willow vorsichtig.

Diese Frage riss den Pegasus aus seiner kurzfristigen Ruhe und versetzte ihn in die Aufregung zurück, mit der er auf den Pfad gestürzt war. Panik legte sich in seine grünen Augen und er zog nervös seine Nüstern hoch. Er schnaubte erregt, stapfte auf, scharrte mit den Hufen.

Dann brach die Angst aus ihm heraus – in schrillen, abgehackten Worten: »Etwas wollte mich fressen. Ein Lichtmensch. Er … Ich grüßte ihn noch. Dann … es war … ein widerliches Vieh … diese Beine … haarig, schwarz, sie zappelten, in alle Richtungen … sechs oder acht … es waren so viele. Dieses Ungeheuer schlüpfte aus … Es zerriss ihn … es zerriss ihn und stürzte sich auf mich. Es wollte mich zerfleischen!«

»Beruhige dich, mein Freund«, sprach Rachel und Willow berührte ihn vorsichtig an den Nüstern, tätschelte ihn beschwichtigend.

Myth sah sie dankbar an und wieherte erleichtert.

Sie streichelte weiter sein Fell, dann fragte sie vorsichtig: »Du konntest entkommen. Bist du verfolgt worden? War der Krieger hinter dir? Wir müssen es wissen, vielleicht sind wir hier nicht mehr sicher.«

Erschrocken sah Myth zurück. Dann schüttelte er den Kopf, erst langsam, danach heftiger.

»Nein, ich konnte ihn abschütteln. Er ist mir nur einige Meter gefolgt. Meine Panik trieb mich mehrere Kilometer weit weg von der Angriffsstelle.«

»Krieger in Sirarin? Ich glaube es nicht. Wie haben sie den magischen Schutz überwinden können?«, fragte Rachel besorgt.

Willow sah sie betrübt an und antwortete: »Offenbar wirkt der Schutz nicht, wenn sich der Krieger davor in einem Körper eines Lichtwesens einnistet. Sirarin ist auch nicht mehr sicher. Umso wichtiger ist es, dass wir die Vampire aufsuchen, um etwas über einen möglichen Retter erfahren zu können.«

Myth wurde hellhörig.

»Ein möglicher Retter?«

Rachel antwortete für Willow: »Die beiden haben vom Orakel des Alten Stammes erfahren, dass der Goldene Hund Kankarios besiegen kann. Die Vampire sollen mehr wissen. Sie sind nun auf den Weg nach Nómai. Ich habe entschlossen, mich ihnen anzuschließen. Möchtest du es mir gleichtun? Wir können jede Unterstützung gebrauchen, die wir kriegen können.«

»Ins Land der Finsternis?! Wollt ihr tatsächlich dort-hin? Dort, wo Schatten und das Böse regieren.«

»Mir bleibt keine andere Wahl«, sprach Willow vor sich hin.

»Wenn nichts unternommen wird, wird Sirarin bald auch voller Dunkelheit sein«, fügte Rachel hinzu.

Der Pegasus schwieg einige Zeit, er überlegte, dann sprach er: »Gut, ich komme mit …«

Plötzlich stockte er und sackte in sich zusammen. Schmerz zeigte sich in seinem Gesicht und er gab einen schrillen Laut von sich.

»Myth?«, fragte Rachel besorgt.

Der Pegasus drehte sich und die Augen der Gefährten richteten sich auf seine linke Seite. Das Tier war ver-letzt. Sein Flügel war in der Mitte schräg abgeknickt und blutig aufgerissen. Das Fell um die Wunde war durch ausströmendes Blut grässlich verfärbt. Das Pferd hatte zuvor mit der anderen Seite zu ihnen gestanden, sodass es niemand in der Aufregung bemerkt hatte.

Willow trat an ihn heran und legte vorsichtig ihre Hand auf die Wunde. Myth versuchte empört, sich ihr zu entziehen, aber Jack hielt ihn fest und tätschelte ihm besänftigend den Kopf:

»Keine Angst. Lass es geschehen. Willow ist sehr geübt im Heilen.«

Das Mädchen presste ihre Handfläche auf die Wunde und wieder glühte ihre Hand auf. Wenige Minuten später hatte sich die Haut geschlossen und das Blut war verschwunden. Nur der Knick im Flügel war ge-blieben.

»Leider kann ich keinen Bruch heilen. Ich werde den Flügel schienen.«

Kurz darauf lag eine provisorische Schiene aus Blättern und Ästen um den Flügel. Myth hatte voller Staunen Willows Tun verfolgt und bedankte sich noch leicht verwirrt.

»Ist es besser?«, fragte Willow, als sie schließlich ihre Arbeit beendet hatte.

»Ja, viel besser. Du hast eine erstaunliche Fähigkeit.«

Willow lächelte zurück, dann sah sie die Fee und den Pegasus fragend an:

»Seid ihr Freunde? Vorher habt ihr euch so begrüßt, als würdet ihr euch schon länger kennen.«

Rachel und Myth lachten sich an, dann antwortete der Pegasus:

»Ja, wir sind Freunde. Wir kennen uns seit einem Monat. Rachel ist mir direkt vor die Nüstern geflogen, als sie ihren Schwarm für immer verließ.«

»Und da wir beide in einer ähnlichen Situation waren, wurden wir Freunde.«

»Das stimmt. Ich hatte einige Wochen zuvor ebenfalls meine Herde verlassen. Ich lebte für kurze Zeit in einer Gruppe Junghengste, doch das wurde mir zu anstrengend. Das ewige Gerangel, die Kämpfe, das ständige Austesten der Stärken und Schwächen des anderen. Ich bin noch nicht so weit, eine eigene Herde zu gründen.«

Und so hatten Jack und Willow zwei Gefährten gefunden.

# 13    Sehnsucht nach dem Vater

Rachel hatte die Führung des kleinen Trupps übernommen, um sie zur Brücke nach Nómai zu führen. Sie waren einige Zeit auf verschlungenen Wegen gewandert, als sich unmittelbar vor ihnen ein Schatten im Gegenlicht erhob. Nervös blieben sie stehen. Der Angriff auf Myth war in ihren Köpfen noch allzu gegenwärtig. Vor der strahlenden Nachmittagssonne zeichnete sich eine hochgewachsene Gestalt ab. Sie schien wie ein Schatten, aber als sie sich bewegte, funkelte sie in der Sonne. Sie kam näher, sie trug eine Rüstung aus Stahl, besetzt mit grünen Kristallplatten. Ein grüngoldener Helm funkelte auf einem grazilen Kopf, dessen Gesicht sie zwar wachsam und sehr ernst musterte, aber auf keinen Fall feindselig wirkte.

Vor ihnen stand ein Lichtkrieger, unschwer an der Rüstung, dem Speer in der Hand und seiner leuchtend schillernden Haut zu erkennen. Auch die typischen spitzen Ohren erschienen, als der Lichtmensch seinen Helm abnahm. Myth und Rachel blickten verängstigt auf den Fremden; auch Jack verharrte besorgt, doch Willow trat interessiert vor.

Ihr Gegenüber sprach sie an: »Seid gegrüßt, verehrte Wanderer. Was führt euch auf meinen Weg?«

Er lächelte leicht, taxierte jeden mit einem prüfenden Blick und blieb dann mit seinen Augen bei Willow hängen. Sie blickte ihm freundlich entgegen und erwiderte sein Lächeln.

»Seid ebenfalls gegrüßt, edler Krieger«, begrüßte sie ihn und senkte den Kopf. »Mein Name ist Willow.«

»Sehr erfreut«, erwiderte der Krieger:

»Ich heiße Elvier und bewache den Bezirk des grünen Kristalls, durch den dieser Weg führt. Wie es meine Pflicht ist, muss ich euch nach dem Grund eures Durchzuges fragen. Was führt euch in diese verlassene Ebene? Was macht ihr auf diesem Weg, der in die Dunkelheit führt?«

Willow antwortete auf seine Frage für die ganze Gruppe: »Sehr geehrter Elvier, wir sind wirklich auf dem Weg in die Finsternis. Wir sind auf der Suche nach dem Goldenen Hund, der Ayin von Kankarios befreien soll.«

Der Krieger trat erstaunt an sie heran.

»Es gibt Rettung? Wirklich?«

Willow nickte.

»Ja, Herr, wir haben es vom Orakel des Alten Stammes erfahren. Die Schrecklichen sollen das Wissen über den Retter besitzen.«

Ihr Gegenüber lachte.

»Ich glaube es nicht. Gerade die Schrecklichen. Aber wenn euch dies das Orakel des Alten Stammes verraten hat, wird es wohl wahr sein. Es ist unglaublich! Einfach unglaublich!«

Willow näherte sich ihm.

»Herr, wollt Ihr uns begleiten?«

Elvier lachte noch vor Freude, dann verstummte er und sah sie traurig an.

»Wie gern würde ich mit euch kommen. Doch ich bin Wächter des grünen Kristalls und mit meinem Leben an ihn gebunden. Kommt, ich kann euch nur eine Mahlzeit und eine Unterkunft für die Nacht anbieten.«

Dann schwieg er und führte sie zu einer verborgenen Lichtung, auf der eine kleine Hütte stand. Er lud sie ein für eine Nacht.


Er bot ihnen Speisen der Lichtmenschen an; fremdes, exotisches Essen, köstlicher als alles, was Willow und Jack je gegessen hatten.

Nachdem sie sich ausgiebig gestärkt hatten, erhob Elvier fragend das Wort: »Eines müsst Ihr mir verraten, lieber Pegasus, warum blicktet Ihr mich so panisch an? Ja, ich konnte in der ganzen Gruppe große Furcht mir gegenüber spüren. Außer bei dir, Willow.«

Er lächelte sie an. Willow wurde rot und senkte ihren Blick. Aber nur kurz, um dann erneut in seine Augen zu sehen. Sie antwortete: »Wir dachten zunächst, Ihr seid ein Krieger Kankarios'.«

»Ein Krieger?«

»Ja«, meinte sie und berichtete daraufhin von ihren unglückseligen Begegnungen mit dem Feind.

»Wir hielten Sie für ein Ungeheuer«, bekräftigte Jack.

Elvier blickte gespielt vorwurfsvoll, dann wandte er sich wieder Willow zu: »Ich hoffe, euer erster Eindruck hat sich nicht bestätigt. Aber warum warst du mir nicht feindlich gesinnt, liebe Willow?«

Er lächelte sie erneut an. Auch sie lächelte.

»Ich kann Krieger mit meinem Herzen erfühlen. Ich spürte, dass Ihr gut seid.«

Ihre Finger wanderten über den Tisch und berührten

seine Hand. Sie fühlte Wärme. Eine Wärme, von der sie geglaubt hatte, sie nie wieder spüren zu können. Willow wollte ihre Finger zurückziehen, als Elvier ihre Berührung erwiderte und ihre Hand zärtlich umfing. Willow sah auf. Verwirrt und doch glücklich. Sie blickte in seine Augen, sie waren sanft, offen und strahlten Stärke aus. Willow lächelte, sie fühlte sich geborgen, so als wäre sie heimgekehrt.

Die kleine Gruppe saß noch einige Zeit zusammen. Doch als es draußen dunkel wurde, erhob sich Elvier, um seinen Gästen ihre Schlafstätten zu zeigen. Myth konnte sich in einem kleinen Stall, in dem einst ein stattliches Ross untergestellt gewesen war, niederlassen. Rachel folgte ihm. Anschließend führte Elvier Willow und Jack in eine benachbarte Kammer mit zwei Liegen. Dazu reichte er ihnen zwei Decken. Jack nahm seine dankend entgegen und ließ sich auf eine der Liegen nieder. Auch Willow griff nach ihrer Decke. Dabei berührte sie zufällig Elviers Finger. Wärme durchzuckte ihren Körper. Sie sah auf. Elvier begegnete ihrem Blick und lächelte sie an. Sie folgte ihm, als er das Zimmer verließ. Er gab ihr Halt, Sicherheit und Geborgenheit, die ihr früher immer ihr Vater gegeben hatte.

Jack blieb etwas irritiert zurück, wagte es aber nicht, ihr zu folgen, da sowohl Elvier als auch Willow ihm eine gute Nacht gewünscht hatten.

Elvier ergriff Willows Hand, als sie allein auf dem Gang standen, und führte sie zurück in den Raum, in dem sie zuvor gegessen hatten. Sie ließen sich erneut am Tisch nieder. Einander gegenüber. Elvier hielt noch immer ihre Hand und streichelte sie sanft. Willow sah zu ihm auf. Sie fühlte sich geborgen, sicher. Als wäre ihr Vater noch bei ihr, als wäre er nicht in dieser verhängnisvollen Gewitternacht unter den Schlägen ihrer Feinde gefallen, als läge sein Körper nicht kalt im tiefen Grab.

»Willow, ich bewundere dich. Du bist sehr mutig. Was du vorhast, hätten nicht viele gewagt.«

»Danke«, antwortete sie leicht verlegen und dachte dabei: Und doch fühle ich mich so schwach. Mir fehlen meine Eltern, mein Vater. Sein Mut. Doch hier fühle ich mich geborgen.

Elvier lächelte sie an, dann beugte er sich vor und küsste ihren Handrücken. Sie sah ihn etwas verwirrt an, wartete darauf, was folgen möge. Da sie ihre Hand nicht entzog, fühlte sich Elvier ermutigt. Er stand auf und ließ sich neben sie auf die Bank nieder. Ihr Blick war fragend. Mit einer geübten Bewegung löste Elvier seinen Brustpanzer und die Armschienen. Unter der schweren Rüstung kam ein fein gewebtes dunkelgrünes, mit Gold durchzogenes Gewand zum Vorschein. Ein langes Hemd, mit einem Gürtel um die Taille gerafft, hing über den Wappenrock und einer leichten Hose. Dann zog Elvier Willow zu sich heran.

Seine muskulösen Arme umfingen ihren zierlichen Körper. Sie wirkte so klein, so jung, so zerbrechlich. Nach kurzem Verharren drückte er ihr einen zärtlichen Kuss auf die Wange. Willow erzitterte. Es war neu für sie. Ihre erste Begegnung mit dieser Art von Zärtlichkeit.

80

Brutanios' Handeln war Gewalt und Brutalität gewesen. Das hier war ganz anders.

Es löste ein sanftes Gefühl in ihr aus. Sie konnte erahnen, wie sich eine Liebe wie die ihrer Eltern anfühlen mochte. Trotzdem sagte ihr Verstand, dass sie das nicht durfte. Es sei falsch; etwas, was sie sich nicht erlauben durfte. Elvier war so viele Jahre älter als sie. Er war ungefähr so alt, wie ihr Vater es gewesen war. Und sie hatte eine Aufgabe zu erfüllen – sie konnte nicht bleiben.

Doch sie hungerte geradezu verzweifelt nach Liebe, Geborgenheit und Sicherheit; nach dem Halt, den sie durch den Tod ihrer Eltern verloren hatte. Und sie spürte, dass es Elvier ebenso ging. Er war schon so viele Jahre einsam gewesen.

Und so löste sie sich nicht aus der Umarmung, sondern schmiegte sich stattdessen enger an Elvier.

So stahlen sie sich eine kurze Zeit fort, verloren sich in eine Welt, die es nur in ihren einsamen Herzen gab. Sie blieben stumm und hielten sich nur fest, er atmete tief ihren Duft ein und berührte vorsichtig ihr feines Haar. Dann küsste er sie auf die Stirn und verharrte kurz mit seinen Lippen auf ihrer weichen Haut.

Willow fragte schließlich leise in die Stille: »Elvier, ist der grüne Kristall wirklich das Gefängnis von Sirair und warum bist du mit deinem Leben an ihn gebunden?«

»Willst du ihn sehen, den grünen Kristall? Ich möchte ihn dir zeigen. Es ist nur ein kurzer Weg.«

Willow sagte zu, die beiden verließen das Haus und machten sich durch den Blütenwald auf den Weg zum Kristall, der auf dem einzigen Spiegelberg stand.

Nach kurzem Weg standen sie auf der Kuppe des Hügels und vor ihnen ein mannshoher Kristall, der grün im Mondschein leuchtete, ähnlich einer Speerspitze, die in den Himmel ragte. Elvier führte sie näher heran.

»Komm, keine Angst, sieh ihn dir genau an.«

Willow folgte seiner Weisung und näherte sich dem Stein auf wenige Meter. Sie versuchte, hindurchzusehen, sah zunächst nur grünen Stein, aber dann … Sie erschrak. Sie sah die Silhouette, bewegungslos, erstarrt, gefangen im Kristall.

»Sirair …«, flüsterte sie ehrfürchtig:

»Und er lebt noch?«

»Ja.«

Damit zog er sie weiter, näher an den Stein heran und legte ihre Hand auf den kalten Kristall.

»Hier! Spürst du den Herzschlag?«

Willow sah ihn ungläubig an, dann konzentrierte sie sich auf ihre Hand. Zuerst bemerkte sie nichts, doch dann konnte sie es fühlen. Einen Herzschlag. Schwach und doch beständig. Sie zog ihre Hand fort und sah Elvier an.

»Ich glaube es nicht.«

»Glaube es. Er lebt und wartet auf seine Erlösung. Schon seit hundert Jahren.«

Elvier machte eine kurze Pause, dann sprach er weiter.

»Ich war sein Gehilfe, sein Freund, nun bin ich sein Wächter. Ich beschütze ihn, da mit seinem Tod auch mein Leben besiegelt ist. Auch ich wurde vom Fluch getroffen, zwar nur teilweise, aber nun trage ich ein Mal.«

Er öffnete sein Hemd und zeigte ihr einen kleinen, grünen Kristall, der aus seiner Brust zu wachsen schien.

»Das ist unsere Verbindung. Es hindert mich daran zu gehen. Es erinnert mich an meine Pflicht.«

Willow fuhr irritiert über den Kristall auf seiner Brust, er war kalt und doch warm. Sie blickte Elvier traurig an.

»Es tut mir leid.«

Er lachte.

»Sei nicht traurig. Ich trage diese Pflicht gern. Es ist für mich eine Ehre, dem Herrn der Spiegel zu dienen.«

Die beiden Kristalle blitzten im Mondlicht auf, dann näherte sich der Krieger dem Mädchen.

»Ich bin so froh, dass du hierhergekommen bist«, meinte er und umarmte sie sanft.

Ihre Körper verschmolzen im Mondschein. In der Ferne schrie ein Vogel.

Jack erwachte am nächsten Morgen in aller Frühe. Verwirrt und etwas eifersüchtig, denn die Liege neben ihm war immer noch unberührt. Gespannt darauf, was ihn erwarten würde, verließ er die Kammer und wäre dabei fast in Willow hineingelaufen.

»Guten Morgen, Jack. Ich wollte dich gerade wecken. Frühstück ist fertig. Wir müssen bald los.«

Jack starrte sie an. Sein Blick wanderte ihren Körper hinab und wieder hinauf, als würde ihm dies verraten, was in der Nacht geschehen war. Doch Willow schwieg, obwohl sie durchaus seinen Blick bemerkt hatte. Sie gab ihm einen Knuff, als Elvier erschien. Er wirkte müde.

Nach dem Frühstück rüstete sich die Gruppe zum

Aufbruch. Myth, Rachel und Jack hatten sich bereits verabschiedet und gingen weiter, doch Willow blieb zurück. Sie trat an Elvier heran, berührte seine Wange, dann erwiderte sie seinen Blick:

»Es tut mir leid, dass ich gehen muss.«

»Mir tut es leid, dass ich bleiben muss.«

Dann verstummten sie beide. Sie mussten nichts mehr sagen. Sie wussten beide, dass alles nur ein kurzer Traum von Liebe und Glück gewesen war, den sie gemeinsam geträumt hatten.

Ihr Weg führte sie fort ins Land der Finsternis, seine Bestimmung hielt ihn hier.

Elvier verneigte sich vor Willow und sprach: »Liebste Willow, alles Gute für eure Reise. Pass auf dich auf.«

Sie nickte und erwiderte: »Danke! Ich werde den Retter finden! Und dann werde ich dich und den Spiegelkönig vom Fluch befreien.«

# 14    Vom Regen in die Traufe

Die ungleiche Gruppe hatte den Bezirk des grünen Kristalls verlassen und setzte ihren Weg durch saftig grüne Wiesen in Richtung des Flusses Mair fort, der den größten Fluss Ayins darstellte und Moran und Sirarin von den anderen Ländern trennte. An seinem Ende staute er sich zum großen See Airm auf, in dem die Nymphen ihre Burg Korloch errichtet hatten. Als sie nun durch das kniehohe Gras wateten, begann es zu regnen. Myth breitete seinen unverletzten Flügel aus und die anderen stellten sich darunter, um sich vor dem Regen zu schützen.

So standen sie nun, als etwas Seltsames geschah. Die Regentropfen verwandelten sich. Zuerst nahmen die Tropfen einen gräulichen Schimmer an, dann platzten sie mit einem lauten Knall auf und aus ihnen wandten sich kleine Ungeheuer. Winzige, gräuliche Scheusale mit riesigen Mäulern, Reißzähnen und gekrümmten Klauen. Sie stürzten sich auf die Gruppe. Der Pegasus fungierte als lebender Schutzschild; die meisten der Viecher krallten sich an ihm fest und verbissen sich in seinem Fleisch. Von Schmerzen gepeinigt sprang er auf und raubte seinen Freunden den Schutz, sodass auch sie unter den Angriffen zu leiden hatten.

»Jack, verschaffe mir eine kurze Atempause«, bat Willow.

»Was hast du vor?«, fragte Jack, während er an sie herantrat.

Mit weit ausholenden Schlägen schlug er um sich und hielt somit die seltsamen Wesen von ihrem Körper fern. Willow stellte sich breitbeinig hin, streckte die Arme in die Luft und blickte in den Himmel. Jack drehte seinen Kopf zu ihr um und wusste, was geschah. Die Ayinerin verwandelte sich erneut.

»Rachel. Myth, kommt her. Willow schützt uns.«

Noch bevor die Fee und das geflügelte Pferd sie ganz erreicht hatten, war nichts mehr von Willow zu erkennen, sondern eine Weide stand vor ihnen.

»Los, drunter.«

Schnell retteten sie sich unter den Baum und grinsten die Biester hämisch an. Diese stürzten sich voller Frustration, da sie nun ihrer Opfer beraubt waren, auf die Äste der Weide. Wild verbissen sie sich darin, aber sie wurden zugleich weggeschleudert. Stürmisch peitschten die Weidenzweige umher und kurz darauf war der Boden von sterbenden Kreaturen übersät. Wenige Minuten später versiegte der Regen und die Weide stellte ihren Kampf ein. Dann begann sie zu schrumpfen, sie wurde kleiner und kleiner, bis zuletzt die völlig zurückverwandelte Willow in Jacks Armen landete.

»Entschuldigung«, meinte sie verlegen und stellte sich auf ihre eigenen Beine. »Danke, dass du mich aufgefangen hast. Euch geht es doch gut, oder?«

Besorgt streiften ihre Augen jeden Einzelnen von ihnen, dann begab sie sich zu Myth, der einige blutige Kratzer eingesteckt hatte, und heilte sie mit kurzen, leichten Berührungen. Darauf wandte sie sich Jack zu, trat nahe an ihn heran und strich über eine blutige

Wunde an seiner Schläfe. Der Blutfluss stoppte und die Haut schloss sich.

»Danke, Heilerin«, flüsterte er, wobei seine Augen kurz aufblitzten.

»Nun solltest du dich aber um deine eigenen Wunden kümmern«, meinte er und deutete auf die Risse und Kratzer an ihren Armen und Schultern, die noch vom Kampf zeugten.

»Der Heilungsprozess hat schon begonnen«, erwiderte Willow.

Nacheinander schloss sich jede einzelne Verletzung. Nach diesem Zwischenfall gingen sie weiter. Zur Brücke der Gier.


Schließlich erreichten sie den Mair und die Brücke, die über ihn führte. Rachel zeigte sie ihnen mit einem Lächeln. Dann erstarrten ihre Gesichtszüge. Obwohl sie bereits einmal hier gewesen war, nahm sie das Schauspiel, das sich dort abspielte, erneut gefangen. Den anderen erging es nicht anders. Alle blickten gebannt auf die Brücke. Dort trafen sich Licht und Finsternis. Auf der ihnen gegenüberliegenden Seite des Flusses, der schon seit Anbeginn der Zeiten rauschend und sprudelnd seinem Flussbett folgte, war nur Dunkelheit. Sie schien sich zu winden und zu bewegen. Wie ein großes Tier.

»Ist dort drüben Nómai?«, fragte Jack Willow mit ehrfürchtiger Stimme.

»Ja, Nómai. Die Verkörperung alles Bösen. Ein schreckliches und trauriges Land. Und dort müssen wir hin.«

Willow zitterte bei dem Gedanken, während sie weiterhin das sonderbare Schauspiel verfolgten. Die Finsternis hatte sich bis zur Hälfte der Brücke geschoben. Weiter kam sie nicht. Eine Wand aus Licht und Wärme trat ihr entgegen und beide führten einen fortwährenden Kampf, in dem keine Kraft der unumstrittene Sieger war. Hatte sich einmal die Dunkelheit einige Meter vorgekämpft, wurde sie wenig später zurückgedrängt, aber auch das Licht konnte einen Gewinn nicht bewahren. Es war ein stetiges Hin und Her.

»Ich wusste nicht, dass es so schön ist«, flüsterte Willow, ihre Augen fest auf die sich windenden Kräften gerichtet.

Rachel nickte und ergänzte: »Die Brücke der Gier.«

»Der Gier?«

»Ja, der Gier. Ich kann nicht sagen, warum sie so genannt wird.«

»Vielleicht wegen der Gier dieser beiden Wesen zu gewinnen?«

»Das könnte sein«, Rachel dachte kurz darüber nach:

»Auf jeden Fall ist es unsere einzige Möglichkeit, nach Nómai zu kommen. Außer wir schwimmen.«

Sie deutete auf den tosenden Mair. Jack folgte dem Wink ihres Armes. Der Mair war breit und reißend. Zu gefährlich, um hindurchzuschwimmen. Selbst Myth war die Strömung zu stark.

»Besser nicht.«

Rachel lachte ironisch.

»Eines muss ich euch vielleicht noch sagen. Ich habe gehört, dass schon einige versucht haben, diese Brü-

cke zu überschreiten, niemand ist je lebend zurückgekehrt.«

Die drei Gefährten sahen sie verstört an. Willow
schluckte schwer.

Jack fragte nach: »Und es gibt keine andere Möglichkeit, um nach Nómai zu kommen?«

»Leider nein.«

»Weitere Brücken finden sich erst in Moran. Doch sie
führen nicht direkt nach Nómai. Es würde uns mehrere
Tage kosten.«

»Das sind ja tolle Aussichten«, meinte Jack und betrat
seufzend die Brücke:

»Auf was habe ich mich nur eingelassen.«

# 15    Die Gier

Die Gefährten standen etwas verunsichert auf der Brücke. Sie lebten noch. Das Bauwerk war nicht eingestürzt und die Dunkelheit hatte sich nicht auf sie gestürzt, um sie zu zermalmen.

»Kommt, lasst uns laufen, bevor es sich noch jemand anders überlegt.«

Aber nach diesen Worten, um ihren Inhalt zu verhöhnen, geschah etwas. Genau neben der Brücke auf der rechten Seite begann das Wasser des Mair zu brodeln …

Drei Frauen erhoben sich aus den Fluten.

Wunderschön.

Langes Haar, von dem das Wasser troff …

Muscheln hatten sich darin verfangen …

Schneeblond …

Es funkelte im Schein der Sonne.

Rabenschwarz …

So dunkel wie Nómais Finsternis …

Und Rot. Rot wie Höllenfeuer.

Schmale Gesichter …

Hohe Wangenknochen …

Sinnliche Lippen.

Jack seufzte.

Alle drei hatten ihre Augen geschlossen.

Lange, feine Wimpern hoben sich …

Die Gestalten schoben sich weiter aus den Fluten.

Wunderschöne weibliche Körper. Fast nackt. Nur feine Tücher bedeckten pralle Brüste …

Willow und Myth machten einen Schritt zurück, doch Jack blieb …

Sein Mund klappte auf, als sich die Frauen schließlich vollständig aus dem Mair erhoben.

Sie saßen auf einem Felsen. Sie hatten keine Beine, sondern lange Fischschwänze …

»Seejungfrauen«, flüsterte Jack ehrfürchtig.

Dann sah er in die Augen der Rothaarigen …

Und er vergaß alles. Nur noch Hitze brannte in ihm.

Die Schwarzhaarige starrte Myth in die Augen. Er sackte zu Boden. Seine Seele war leer, schwarz wie die Nacht. Sein Herz ertrank in dieser Schwärze. Auch die Nixe mit den goldenen Haaren versuchte, jemanden mit ihrem Blick zu fangen. Zuerst war Willow ihr Opfer, doch diese sah nur schockiert auf Jack, sodass ihre Augen für die Seejungfrau nicht erreichbar waren. So ergriff die Gewalt ihres Zaubers die kleine Fee. Rachel geriet in einen ekstatischen Freudenrausch, sodass sie nur noch Saltos flog. Ihr Gesicht war zu einem kranken Lächeln verzogen; die Maske des Wahnsinns.

Willow erstarrte. Nacheinander waren ihre Freunde in diese sonderbaren Zustände verfallen. Was bedeuteten diese Veränderungen? Warum traten Jacks Augen vor Gier fast aus ihren Höhlen? Warum weinte Myth, als gäbe es keinen Morgen mehr? Und warum schlug Rachel ununterbrochen Freudensprünge mit diesem verstörenden Grinsen im Gesicht? Es hatte irgendetwas mit den Nixen zu tun. Ihre Augen … in ihnen lag eine Macht und ein böser Zauber. Willow sah nur kurz hin – sie spürte sofort den Sog, der von ihnen ausging – dann senkte sie zugleich den Kopf.

Sie musste etwas unternehmen. Vorsichtig trat sie vor und versuchte, Myth fortzureißen. Doch er war zu groß und schwer und schnappte nach ihr, als sie ihm zu nahe kam. Als Nächstes versuchte sie, Rachel zu erreichen. Doch sie flog zu hoch.

Jack! Er musste auf sie hören … Bitte.

Zögernd trat sie auf ihn zu. Sie wollte in sein Blickfeld gelangen, um die Macht der roten Augen zu brechen, doch Jack ließ ihr keine Chance. Er schlug ihr mit voller Gewalt ins Gesicht.

Schreiend stürzte sie zu Boden. Verstört starrte sie ihn an. Ihre Wange pulsierte. Ihre Heilkräfte nahmen ihr die Schmerzen und auch mögliche blaue Flecken. Und trotzdem … Jack hatte sie geschlagen.

Und war die Macht ihrer Augen noch nicht genug, begannen die Nymphen auch noch zu singen. Hell und klar, wie der Wind. Wie die Sirenen Odysseus riefen sie ihre Opfer. Willow spürte, dass der Wille der Nymphen nun auch nach ihrem Geist griff. Doch es gelang ihr zu widerstehen. Sie unterlag nicht dem hypnotisierenden Blick, der jeden Willen ausschaltete.

Anders bei ihren Freunden. Bei ihnen zerbrach auch noch der letzte Widerstand und sie bewegten sich auf die Sirenen zu.

»Nein, nicht!«, schrie sie.

Willow sprang auf und riss an Jacks Arm. Doch er reagierte nicht. Er ging nur weiter.

Verzweifelt blickte sie von einem zum anderen. Dann lief sie zur Brüstung der Brücke, stellte sich zwischen ihre Freunde und die Sirenen.

»Bitte!«, schrie sie, dann griff sie nach dem einzigen Strohhalm, den sie sah. Sie begann ebenfalls zu singen. Mit leiser, zarter Stimme. Ein Lied, das sie bereits als Kind gelernt hatte. Ayins Lied, ihr Heimatlied.

»Ayin, welch wunderbares Land,
tausend Legenden um dich ranken.
Die Einhörner kamen einst hierher.
Und seitdem, so lautet die Mär,
erstrahlen tausend Blumen
in einem wahren Farbenmeer.«

Willow verstummte kurz. Sie hatte ein Zögern bei Jack bemerkt. Sein Blick war von der rothaarigen Nymphe zu ihr gewandert. Ja, er sah sie an. Auch Myth und Rachel blickten zu ihr. Glücklich wagte es Willow, einige Schritte von der Brüstung wegzugehen zum Ende der Brücke. Fort von diesem gefährlichen Ort.

Mit nun kräftiger Stimme sang sie weiter:

»Kahler Stein, toter Sand,
Monster durchquerten mondbeschienene Gefilde.
Stürzten Mauer und Wand,
klirrten eiserne Schwerter und Schilde.

Tausend Stimmen schrien in größter Qual,
suchten ihr Heil in der Flucht,
blieb ihnen denn die Wahl?
Denn tausend Stimmen,
die schrien in ihrer Qual.

Untergang, Tod und Verderben –
Die Falle schnappte zu,
es weinten schrill die Herden,
die Biester lachten dazu.

Empor ein Retter, ein König stieg,
Arir, der Kühne,
mit seiner Macht brachte er den Sieg
und die verdiente Sühne.

Die Monster wurden verjagt,
tief hinein in die Sümpfe.
Kein Mensch ist mehr verzagt,
tötet die Klage Ungeheuers Wünsche.

Jedes Volk fand sein Reich,
die Nymph', die Elf'.
Das Glück war gleich,
der Mensch, der Zwerg.«

Nur noch wenige Schritte und sie würden die Brücke
verlassen haben. Siegessicher schritt Willow rückwärts.
Ein Lächeln zauberte sich auf ihre Lippen.
    Doch dann …

Die Katastrophe! Jack stoppte – es fehlten nur noch zwei Schritte, dann wäre er auf der anderen Seite –, lief die erkämpften Meter zurück und sprang in den Mair. Myth und Rachel folgten ihm auf der Stelle.

»Nein, bitte nicht!«, schrie Willow verzweifelt.

Panisch stürzte sie zu der Stelle, von der die drei gesprungen waren. Der Felsen im Wasser war verschwunden. Dafür konnte Willow die Nymphen einige hundert Meter von der Brücke entfernt im Wasser ausmachen. Und ihre drei Süchtigen. Diese versuchten schwimmend, die Sirenen zu erreichen. Dann lachten diese auf und tauchten unter. Nun versanken auch Willows Freunde und verschwanden unter Wasser.

»Nein!«, stieß Willow hervor – noch einmal, obwohl sie wusste, dass es keinen Sinn hatte. Kurz zögerte sie, dann stürzte sie sich ebenfalls in die tosenden Wogen des Mair.

Die Ayinerin schaffte es nicht mehr an die Wasseroberfläche zurück. Ein wilder Sog zog sie in die Tiefe und mit einem gequälten Laut stieß sie die letzte Luft aus ihren schmerzenden Lungen und ergab sich dem wütenden Strom.

# 16   Das Gefängnis

War sie in der Hölle gelandet? Im Himmel war sie auf jeden Fall nicht, denn wer hatte schon jemals von einem Paradies gehört, in dem man Schmerzen litt? Und sie hatte furchtbare Schmerzen. Ihre Lungen brannten so stark, als wären sie Fremdkörper in ihrer Brust, als würde sie anstatt Luft flüssiges Erz atmen. Aber wenn sie atmete, bedeutete das nicht, dass sie lebte? Sie musste wohl irgendwie nicht ertrunken sein, denn als sie die Augen öffnete, erblickte sie weder kleine Engel, die auf Wolken saßen und Harfe spielten, noch den Beelzebub höchstpersönlich mit Dreizack und Pferdehuf. Sie war von Dunkelheit umgeben, die nur teilweise von einem schwachen blauen Lichtschimmer durchbrochen wurde. Jetzt erst bemerkte sie, dass sie auf etwas lag. Sie drehte sich herum und sah in Jacks Gesicht. Sie wurde rot und rutschte schnell von ihm herunter. Seine Augen waren geschlossen, doch er atmete. Sie berührte ihn vorsichtig an der Schulter und rüttelte ihn leicht.

»Jack, wach auf«, bat sie ihn, doch es geschah nichts.

Dann ließ er ein gequältes Stöhnen erklingen. Schließlich erwachte er ganz. Mit einem Ruck setzte er sich auf, drehte sich zur Seite und erbrach sich würgend. Ein Schwall Wasser ergoss sich auf den kalten und schmierigen Boden. Kurz verharrte er mit gequältem Gesichtsausdruck in vorgebeugter Haltung, dann setzte er sich auf und bemerkte Willow, die neben ihm saß.

»Willow, schön, du bist da«, sagte er mit heiserer Stimme, dann brach er wegen eines Hustenanfalls ab.

Willow sah ihn besorgt an und fragte ihn: »Wie geht es dir? Hast du Schmerzen?«

Jack konnte ihr zuerst nicht antworten, dann ließ der Husten nach.

»Mir tun die Lungen weh«, brachte er keuchend hervor, während er seine schmerzende Brust hielt.

Willow sah ihn mitfühlend an, dann streckte sie die rechte Hand aus.

»Warte, gleich wird es besser«, versprach sie ihm, während sie ihre Hand auf seinen Brustkorb legte. Jacks Blick folgte ihrer Hand, erst spürte er nur einen leichten Druck, dann entwickelte sich eine wohlige Wärme unter ihrer Handfläche, die sich in seinem gesamten Oberkörper ausbreitete. Jack atmete einmal entspannt ein und aus und bemerkte mit Freuden, wie seine Schmerzen im Oberkörper verschwanden.

Kurz verharrte Willows Hand noch auf seinem Brustkorb, dann löste sie die Hand und legte sie sich auf ihre eigene Brust. Sie schickte ebenfalls heilende Wärme in ihre Lungen, sodass auch ihre Schmerzen verschwanden.

»Danke, Willow«, bedankte sich Jack bei ihr, dann hob er die Hand und strich ihr sanft über ihre linke Wange. Diese hatte er zuvor auf der Brücke geschlagen.

»Das mit vorhin tut mir sehr leid! Bitte verzeih mir, dass ich dich geschlagen habe und gegangen bin.«

Willow errötete leicht und sah zu Boden. Dann hob sie den Blick und sah Jack an.

»Ich verzeihe dir. Du warst nicht du selbst.«

»Was war das eigentlich? Diese Nixen … Weißt du, wo wir sind?«, fragte Jack, während er sich durch sein noch feuchtes Haar fuhr.

Willow, die sich in ihren Umhang wickelte, überlegte kurz und meinte dann: »Wir sind wahrscheinlich dem Mair abwärts gefolgt. Nun müssten wir in Korloch sein, dem Reich der Nymphen. Im Schloss, in irgendeinem Kerker.«

Betrübt stand sie auf und begann ihre Umgebung zu erforschen.

»Wir sollten nach Myth und Rachel suchen. Sie müssen doch hier irgendwo sein.«

Jack folgte ihr. Kalte, nasse Wände, an denen Schimmel wuchs, Pfützen gleich Mooren traten in ihr Blickfeld. Nein, halt, ein Schatten. Dort, an der Wand. Vorsichtig näherten sie sich. Es war Myth. Das Pferd lag auf der Seite und hatte seinen strahlenden Glanz verloren. Vor seinen Nüstern lag die kleine Fee, auch ohne Leuchten.

»Sind sie tot?«, fragte Jack leise. Das fehlende Leuchten machte ihm Sorgen.

»Hoffentlich nicht«, antwortete Willow, ließ sich neben Myth und Rachel nieder und berührte beide mit ihren Händen. Lange Zeit tat sich nichts, aber dann glühten sowohl Myth als auch Rachel leicht auf. Wenig später erwachten sie.

»Rachel, Myth! Bin ich froh! Ich habe mir schon Sorgen gemacht.«

Willow umarmte beide freudestrahlend. Dann standen sie etwas ratlos in der Dunkelheit.

»Und was nun?«, fragte Jack in die Stille hinein.

# 17    Ixion

Unerwartet öffnete sich eine in der Wand verborgene Tür. Grelles Licht flutete durch die Öffnung und blendete sie. Die ungewohnte Helligkeit schmerzte in ihren Augen. Mit halb zusammengekniffenen Lidern konnte Willow einige Schatten im Licht erkennen.

Einer von ihnen trat vor und schrie donnernd: »Auf die Knie!«

Doch sie reagierte nicht. Auch Myth, Rachel und Jack starrten nur ins gleißende Licht. Langsam klärte sich Willows Blick und der Schatten vor ihr nahm langsam Form und Gestalt an. Erschrocken zog sie die Luft ein und ging hastig in die Knie. Vor ihnen ragte ein über zwei Meter großer Riese empor, mit nacktem Oberkörper und einem langen, schuppigen Fischschwanz. Ein Wassermann. Er war furchterregend. Der ganze Körper wirkte wie ein großer, durchtrainierter Muskel.

Willow erzitterte vor der Kraft und Brutalität, die ihr Gegenüber ausstrahlte. Allein ein Schlag seiner Hand konnte einen erwachsenen Mann töten. Und als sei diese Waffe nicht genug, war auf seinem Rücken ein mächtiges Schwert geschnallt. Zuletzt fiel Willows Blick auf den Schuppenschwanz. Dieser begann unterhalb des Bauchnabels, war von blau schimmernden Schuppen bedeckt und maß eine Länge von zwei Metern. Der Krieger hatte sich darauf aufgerichtet und schien leicht hin und her zu schwingen, während die Schwanzflosse immer wieder nervös auf den Boden schlug. Die Hiebe waren so stark, dass Willow das Erzittern des Bodens spüren konnte.

»Auf die Knie, habe ich gesagt«, donnerte er erneut und Willow sah erschrocken hinter sich. Myth und Rachel waren seiner Aufforderung gefolgt, doch Jack stand immer noch.

Oh nein, Willow realisierte gerade erst, dass der Wassermann in der Sprache der Nymphen gesprochen hatte, die sie, Myth und Rachel ohne Probleme verstanden hatten, aber für Jack unverständlich gewesen sein musste.

»Jack, knie dich hin«, versuchte sie noch, ein Unglück zu verhindern, doch der Krieger kam ihr zuvor und fasste Jack am Hals. Dann hob er ihn langsam hoch und schrie ihn an: »Du willst nicht gehorchen?! Dir werde ich schon noch Gehorsam beibringen!«

Und damit drückte er zu. Jack begann zu würgen und versuchte, sich windend aus dem eisernen Griff zu befreien. Er hing mit zappelten Beinen in der Luft, seine Hände griffen nach dem Wassermann, die dieser mit einem einfachen Schlag seiner freien Hand abwehrte.

Mit aufgerissenen Augen und Mund sah Willow zu Jack hinauf, wollte schreien, dann stürzte sie vor und warf sich vor dem Wassermann voller Verzweiflung in den Staub.

Sie hob flehend ihre Hand und schrie: »Bitte, nicht! Bitte lasst ihn los!«

Dann stieß sie einen kehligen Laut aus. Diesen Laut, mit dem sie den Wassermann in seiner Sprache um Erbarmen bat, wiederholte sie so oft, bis sich der Angesprochene ihr zuwandte und mit angewidertem Blick Jack gegen die Wand schleuderte. Während dieser keuchend auf die Füße kam, dankte Willow dem Krieger mit einem anderen Laut und blieb vor ihm auf den Knien. Der Koloss stellte sich als Ixion vor – Willow übersetzte für Jack mit leiser Stimme – und sagte, dass er den Auftrag habe, sie zum König zu führen. Seine Gehilfen würden sie nun fesseln. Er schnipste. Zwei Schatten kamen näher, ebenfalls Nymphen, und trugen eiserne Ketten mit sich.

Willow sah eindeutig, dass sie sich darauf freuten, sie zu fesseln. An sich war es bloße Schikane und Quälerei, da die Ketten eigentlich entbehrlich gewesen wären. Die vier hätten gegen die bewaffneten Giganten niemals eine Chance gehabt. Myth wurde an allen vier Hufen mit schweren Ketten gefesselt, Rachel in einen kleinen eisernen Käfig gesperrt, dessen Henkel Myth ins Maul nehmen musste. Während die beiden Krieger Ketten um Jacks Hals als auch Arm- und Fußgelenke legten, beugte sich Ixion zu Willow herunter. Sie streckte gehorsam ihre Hände aus, da sie erwartete, ebenfalls gefesselt zu werden, aber der Gigant schlug ihre Arme beiseite, fasste sie am Bauch und hob sie in die Höhe. Willow wehrte sich, strampelte mit den Füßen, doch der Krieger erhöhte den Druck seiner Hand und so gab sie ihre Gegenwehr unter Schmerzen auf. Während sich die Blicke ihrer Freunde auf sie richteten, fragte sie panisch, was er wollte. Ixion antwortete nicht, sondern fuhr mit seiner freien Pranke über ihr Haar und ihre Seite entlang. Willow zitterte und unterdrückte einen Schrei, während der Blick ihres Peinigers auf ihr ruhte. Plötzlich zog Ixion sie nahe zu sich heran und küsste sie auf den Mund. Aggressiv und gebieterisch. Das Mädchen versuchte, sich loszureißen, aber ihre Kraft reichte bei Weitem nicht, denn der Krieger verstärkte erneut seinen Griff, sodass seine Fingernägel ihre Haut zerrissen.

Jack stieß einen entsetzten Schrei aus: »Lass sie sofort los, du Ungeheuer!«

Dann stürmte er vor, wurde aber von den Gehilfen zurückgerissen und geknebelt, sodass er nur noch unverständliche Laute hervorbrachte. Nach einer für Willow unendlichen Zeitspanne ließ Ixion von ihr ab. Haltlos stürzte sie zu Boden und blieb benommen liegen, während der Gigant rief: »Fesselt sie.«

Ein anderer Wassermann riss sie in die Höhe, sodass Jack in ihr Gesicht sehen konnte. Ihre sonst so strahlenden Augen hatten ihren Glanz verloren und verirrten sich in der Ferne, aus ihrem verletzten Mund lief Blut. Kurz zuckten ihre Gesichtszüge schmerzverzerrt zusammen, als der Krieger die Fesseln festzog, dann ließ sie ihren Kopf sinken.

Nachdem die Krieger die Gefangenen in ihre Mitte genommen hatten, verließen sie den Kerker und gingen viele düstere Gänge entlang. Ixion, der Willow hinter sich herzog, führte die Truppe an, kurz darauf folgte Jack, dann Myth mit dem Käfig, in dem Rachel steckte, und die Nachhut bildeten die beiden anderen Wassermänner. Jack, der wie Myth Probleme hatte zu gehen, weil ihn die Fesseln behinderten, war einmal gestolpert und dabei beinahe gestürzt. Nur die Kette, die alle Gefangenen verband, hatte seinen Sturz aufgefangen. Leider hatte er mit seinem Stolpern Willow zu Boden geworfen, die aber von Ixion gleich wieder in die Höhe gerissen worden war. Als ihr dabei ein leiser Schmerzenslaut über die Lippen gekommen war, hatte der Gigant sie angebrüllt und ihr mit Schlägen gedroht. Nun versuchte Jack zwanghaft, nicht zu stürzen, er wollte ihr nicht noch mehr schaden. Er sehnte sich so sehr danach, sie zu trösten, war es doch nicht das erste Mal, dass sie unter der Hand eines Mannes litt. Leider verboten der Knebel im Mund und die Wachsamkeit Ixions jeden Versuch, ein Wort an Willow zu richten. Vorsichtig ging er ein wenig näher an Willow heran und versuchte mit ausgestrecktem Arm, eine ihrer Hände, die auf den Rücken gebunden waren, zu erreichen. Ganz langsam und vorsichtig, sodass er kein verräterisches Geräusch mit den Ketten machte, berührte er einen ihrer Finger, umschlang ihre Hand und versuchte so, ihr Trost zu spenden. Willow erwachte durch diese Berührung aus ihrer Betäubung. Sie nahm ihre Umgebung wieder wahr und blinzelte, um ihre Augen von Tränen freizubekommen. Diese letzten Tränen bahnten sich einen Weg über ihre schon nassen Wangen und liefen über ihre blutverkrusteten, aber bereits verheilten Mundwinkel. Das Mädchen richtete sich auf, gewann wieder an Statur und veränderte ihren Gang. Aus dem schlürfenden Trotten wurde ein kräftiges Schreiten, das ihr ihre Würde zurückgab. Sie drückte Jacks Hand leicht und umfasste sie mit einer Wärme und Zärtlichkeit, die er noch nie bei ihr wahrgenommen hatte. Seine Hand streichelte sie zärtlich, worauf ihre Hand ebenso antwortete. So gaben sich Jack und Willow gegenseitig Kraft und Zuversicht, während sie durch die Kerker Korlochs getrieben wurden.

Ixion führte sie lange Zeit durch kalte, modrige Schächte und Gänge, die nur mit rußenden Fackeln beleuchtet wurden, bis sie zu einem großen, stark verwitterten Tor kamen, das mit mehreren Schlössern gesichert war. Der Krieger zog einen ungeheuren Schlüsselbund hervor, öffnete nacheinander jedes einzelne Schloss, schließlich zog er das Tor unter Kraftanstrengung auf. Es musste mehrere Hundert Kilo wiegen, wenn selbst ein solcher Gigant wie Ixion damit zu kämpfen hatte. Schließlich kam eine hell erleuchtete, weiß gefliese Halle in ihr Blickfeld. Ihre Augen versagten erneut, als sie durch die erhabenen Hallen und Gänge eines luxuriösen Palastes geführt wurden. Schließlich gelangten sie durch eine riesige Flügeltür an ihr Ziel.

# 18    Ozeanus – König der Nymphen

Die kleine Truppe stand in einem weitläufigen Saal. Er war von gewaltiger Größe. Willow schätzte, als sie ihren Kopf nach oben streckte, dass die Halle mindestens acht Meter hoch war, bis sie in einer spitz zulaufenden Kuppel endete, und dass ihre Breite der Höhe entsprach. Ihre Wände waren gebogen, sodass der Raum die Form eines überdimensionalen Wassertropfens besaß. Auf einer Seite des Saales war eine übergroße Fensterwand. Wunderschön geschwungene Fenster, die eine farbenfrohe Unterwasserwelt zeigten. Willow wusste nun, dass sie sich immer noch unter der Wasseroberfläche befanden. Korloch lag wohl ausschließlich im Wasser des Airms. Die Halle war von zahlreichen Nymphen bevölkert – anscheinend wollte das ganze Volk die Gefangenen sehen – und sie drängten sich auf Balkonen hoch über Willow oder auf Tribünen, die rundum an den Wänden verteilt waren. In der Mitte des Raumes stand ein Thron.

Er bestand aus glänzendem Elfenbein und war mit prächtigen Muscheln verziert, die das Licht in tausend Farben zurückwarfen. Und auf ihm saß Ozeanus, der König der Nymphen. Er strömte königliche Erhabenheit aus und war von solcher Größe, dass selbst Ixion, der schon ein wahrer Gigant war, klein und unbedeutend wirkte. Sein Haar, das goldgelb glänzte, umspielte seine kräftigen Schultern, auf seinem nackten Oberkörper glitzerte ein schweres, goldenes Emblem und sein

Fischschwanz war von zahlreichen winzigen blauen und goldenen Schuppen bedeckt. Gelassen blickte er der kleinen Gruppe entgegen und Willow wandte ihr Gesicht ab, da sie seinem Blick nicht standhalten konnte. Die blauen Augen voller Würde maßen sie mit bitterer Herablassung. Als sie vor dem Thron angekommen waren, kniete sich Willow hastig nieder und brachte auch ihre Freunde mit einer raschen Kopfbewegung dazu, es ihr gleichzutun. Auf Ozeanus' Gesicht machte sich ein verschmitztes Lächeln breit, da Ixion das Mädchen gerade mit einem Schlag auf die Knie zwingen wollte, und er nun mit erhobener Schwanzflosse, aber unverrichteter Dinge etwas lächerlich dastand. Ein Lachen ging durch die Menge.

Ixion knurrte. Er schäumte vor Wut und rächte sich, indem er Willow heftig mit seiner Flosse auf den Kopf schlug. Die Ayinerin schwankte, versuchte, ihr Gleichgewicht zu bewahren, aber da ihre Hände immer noch auf den Rücken gefesselt waren und sie Jacks Hand beim Eintritt in die Halle loslassen musste, stürzte sie haltlos nach vorne und blieb mit dem Gesicht auf dem Boden liegen.

Einige Sekunden vergingen, bis sie sich wieder aus eigener Kraft mit einem Stöhnen auf den Lippen aufrichtete. Von einer Wunde über der rechten Augenbraue und aus der Nase floss Blut. Trotzdem zog sie sich weiter in die Höhe, obwohl sie sichtbar unter Schmerzen litt, und konnte sogar noch ein kleines Lächeln auf ihre Lippen zaubern, das sie Jack schenkte, um ihm seine Sorge zu nehmen. Jack erwiderte vorsichtig ihr Lächeln, dann wandte sich das Mädchen wieder dem König zu. Dieser musterte Willow gründlich, und diesmal ertrug sie seinen Blick. Nach einiger Zeit, während das Blut über ihr rechtes Auge tropfte und ihren Blick vernebelte, ergriff der König eines von den zahlreichen Tüchern, auf denen er gebettet war, und reichte es einem Gehilfen.

»Man möge ihr das Blut abwischen«, sagte er mit herablassender Stimme, worauf der Bedienstete das Tuch an Ixion weitergeben wollte, aber Ozeanus bremste ihn: »Nein, gib es dem jungen Mann. Ixion braucht sich nicht mit diesem Blut zu besudeln.«

Jack nahm den weißen Stoff entgegen – er wusste, was er tun sollte, auch wenn er die Worte des Königs nicht verstanden hatte – und näherte sich auf Knien Willow, die sich ihm zugewandt hatte. Vorsichtig presste er das Tuch auf die Wunde über dem Auge und tupfte das Blut ab. Dann fuhr er über die nassen Lider und reinigte zuletzt Nase und Lippen vom Blut. Zum Glück war die Nase nicht gebrochen, sodass Willows Selbstheilungskräfte ihr bald die Schmerzen nehmen würden. Während Jack ihr Gesicht reinigte, blickten sie sich unentwegt in die Augen. Jack fand in ihren Augen so viel Wärme, Zuneigung und Dankbarkeit, dass er Willow gern geküsst hätte. Außerdem sah er, was ihn sehr verwunderte, große Zuversicht.

Er versuchte, genauso viel Optimismus in seinen Blick zu legen, was ihm aber nur annähernd gelang. Zärtlich streichelte er ihre Wange. Ihre gegenwärtige Lage führte ihm vor Augen, dass Willow ihm bereits viel bedeutete. Dann rutschte Jack wieder in die Reihe neben Myth und Rachel zurück und Willow drehte sich zum Thron.

»Nun«, der König erhob erneut seine hallende Stimme: »Ixion, löse den Knebel und die Fesseln des jungen Mannes, denn ich habe mit ihm zu reden. Jeder Gefangene hat das Recht, sich zu verteidigen.«

Der Angesprochene unterbrach seinen Herren: »Majestät, wie gern würde ich Eurer Bitte nachkommen, aber er wird Euch nichts nützen. Er ist unserer Sprache nicht mächtig.«

»Was, er ist unserer Sprache nicht mächtig?«

»Ja, jedoch das Pferd, die Fee oder auch dieses Weib«, erwiderte Ixion abschätzig und deutete zum Schluss auf Willow.

Nach kurzem Schweigen fand der Monarch seine Stimme wieder: »Löse ihre Fesseln. Die Barmherzigkeit des Königs ist so groß, dass er auch mit einem Menschenweib spricht.«

Nachdem Willow dies vernommen hatte, erhob sie sich vom kalten Fliesenboden und streckte Ixion gehorsam ihre Hände entgegen. Er ergriff ruppig ihre Handgelenke und überdehnte schmerzhaft ihre Arme, während er das Seil löste, aber sie schluckte ihren Schrei hinunter. Als er sie losließ, wollte sie es einige Schritte vortreten, aber Ixion bewegte sich hinter ihr so bedrohlich, dass sie mitten im Schritt stoppte. Der König winkte mit der Hand und ermutigte sie:

»Komm, Weib, keine Angst. Wie mir scheint, hast du bereits Ixions Charme kennengelernt. Ich hoffe, du hast daran Gefallen gefunden, denn wenn ihr meine Aufgabe nicht erfüllt, wirst du für immer ihm gehören. Du wirst zu einer Kurtisane in seinem Harem. Ixion liebt nämlich die kleinen, schwachen Menschenfrauen. Ist es nicht so, Ixion?«

»Ja, Herr, ich liebe diese schwachen Dinger. Und ihr niedliches Geschrei. Vielen Dank.«

Willow zuckte unter diesen Worten zusammen. Auf lebenslänglich die Geliebte eines solchen Monstrums. Sie zitterte vor Scham. Das Mädchen trat zwei weitere Schritte vor und sank dann wieder auf die Knie.

Dann stellte sie sich vor: »Majestät, König der Nymphen, mein Name ist Willow. Tochter von Soor und Maiara, aus dem Geschlecht der Metamorphorier von Dana.«

Ozeanus unterbrach sie: »Du bist eine Metamorphorierin?! Wunderbar. In was kannst du dich verwandeln?«

»Majestät, wie mein Name sagt – in eine Weide.«

»Prächtig.« Er wandte seine Stimme ans Volk: »Wollt ihr ein wenig Unterhaltung?«

Die Masse auf den Tribünen und Balkonen antwortete mit begeistertem Jubel. Ozeanus hob beschwichtigend die Hand, dann forderte er das Mädchen auf, sich zu verwandeln, und warnte es, dabei irgendwelche Dummheiten zu versuchen. Das Mädchen nickte, atmete einmal tief ein und schloss die Augen. Jack blickte fasziniert auf sie, während sich ihr Körper langsam in die Höhe schob und sich das Fleisch in Holz verwandelte. Er hatte zwar schon zweimal miterlebt, wie sie ihre Metamorphose durchlief, aber es war immer noch beeindruckend. Wie ihre zarten Finger zu langen Ästen wuchsen, ihre Haarmähne sich mit Blättern füllte und aus diesem zerbrechlichen Mädchen ein starker und kräftiger Baum wurde.

Genauso wie Jack ging es jedem im Saal. Die meisten Nymphen sahen mit offenen Mündern den wachsenden Baum an, einige schüttelten ungläubig und zugleich fasziniert den Kopf. Ozeanus erhob sich von seinem Thron und blickte über sich in die Baumkrone, deren Zweige wie bei einem leichten Windzug umherschwankten. Nachdem sich die Überraschung gelegt hatte, machte sich Begeisterung breit und es erhob sich ein gewaltiger Applaus. Überall auf den Tribünen und den Balkonen begannen die Zuschauer zu klatschen und nach einer Weile forderte der König das Mädchen mit einem leichten Heben der Hand auf, sich wieder zurückzuverwandeln. Die Baumkrone erzitterte kurz, dann fing der Baum an zu schrumpfen – diesmal viel langsamer, als Jack es bei den anderen Metamorphosen gesehen hatte. Wahrscheinlich versuchte Willow, ihr Gleichgewicht zu halten, um nicht auf den Boden zu stürzen, sondern auf ihren Beinen zu landen. Der Baum nahm weiter ab, vorsichtig, langsam, aber beständig, sodass letztlich Willow wieder mit beiden Beinen auf dem Boden stand. Mit einer leichten Bewegung ihrer rechten Hand schüttelte sie, wie es schien, die letzten Weidenblätter aus ihrem Haar, das sich aber einfach nur vollständig zurückverwandelte.

Nach einem flüchtigen Nicken des Monarchen sprach das Mädchen erneut: »Majestät, unsere kleine Gruppe befand sich auf der Reise ins Land der Finsternis, als uns Eure Damen einfingen. Die Schrecklichen sollen das Wissen über den Goldenen Hund besitzen, der Ayin von Kankarios und seinen Schergen befreien kann. Wir bitten Euch, Majestät, und Euer ganzes Volk um unsere Freiheit und Eure Hilfe bei unserem Vorhaben.«

Der König und Ixion lachten amüsiert auf, dann antwortete Ozeanus: »Kindchen, Kankarios? Wer ist schon Kankarios? Er und seine Krieger werden nie einen Schritt in unser Reich wagen. Das Volk der Nymphen besitzt einen Zauber, der es vor den Kriegern schützt. Wir Nymphen waren schon lange Zeit vor Kankarios hier und wir werden es auch nach ihm sein. Es gab schon schlimmere Bedrohungen.«

»Majestät, ich bedaure, unterbrechen zu müssen, aber auch das Reich der Schönheit besaß diesen Zauber. Nun wurden auch dort Krieger entdeckt. Korloch ist ebenfalls nicht sicher.«

»Von seiner Sicherheit bin ich überzeugt«, unterbrach sie der Gigant donnernd.

Mit überzeugender Stimme sprach er weiter, mehr zu seinem Volk als zu Willow: »Kankarios ist keine Bedrohung für uns. Korloch wird nicht nur von den Fluten des Airms beschützt. Es verfügt über unüberwindbare Mauern. Aber trotzdem gebe ich euch eine kleine Chance. Wenn ihr SorMor besiegt, lasse ich euch ziehen.«

»Wer ist SorMor?«, fragte Willow mit einer bösen Vorahnung.

Plötzlich erschien vor einem der riesigen Fenster zum Airm ein gewaltiger und furchterregender Schatten. Der König deutete mit seinem Zeigefinger darauf: »Das ist SorMor.«

Der Schatten verfestigte sich und ein riesiges Gebiss blitzte auf. Dann erschienen pechschwarze Schuppen und eine gigantische Flosse. Der SorMor war ein kolossaler Fisch, aggressiv und unberechenbar. Um diese Tatsache zu untermauern, krachte das Ungeheuer mit einem dumpfen Knall gegen die Scheibe und versuchte, sie zu zermalmen.

»Als euren Kämpfer haben wir den jungen Mann ausgewählt, da wir eine Metamorphorierin nur ungern verlieren würden. Außerdem wäre es sehr schade für Ixion. Ihr nehmt doch an oder wollt ihr als Sklaven enden?«

Laut antwortete Willow: »Ja, wir nehmen an.« Traurig flüsterte sie: »Oh nein, Jack.«

# 19   Das friedliche Monster

Nachdem Willow Jack über die Aufgabe informiert hatte, nickte er zustimmend und erhob sich von seinem Platz auf den Fliesen. Myth kommentierte seine Entscheidung mit einem traurigen Wiehern und Rachel, die auf dem Boden ihres Käfigs saß, ließ betrübt ihre Beinchen baumeln.

»Viel Glück«, wünschten sie ihm.

Dann trat Jack vor und ein Diener löste seine Fesseln wie auch den Knebel. Jack war froh, dass er endlich etwas tun konnte. Er hasste es, ruhig dazusitzen, während Willow mit dem König sprach und er nicht einmal der Unterhaltung ohne ihre Hilfe folgen konnte. Der Sor-Mor jagte ihm keine Angst ein. Für einen Menschen, der den Angriff eines Bären und eines riesigen Insekts überstanden hatte, war ein auch noch so großer Fisch doch bloß ein Kinderspiel, ein niedlicher Goldfisch. Jack wusste, dass er sich etwas vormachte und sich belog, aber hätte er die Wahrheit an sich herangelassen, wäre er durchgedreht. Vielleicht geschah dies trotzdem, denn langsam griff die Furcht, die er bei Myth, Rachel und vor allem Willow spürte, auf ihn über.

Willow war blass geworden und konnte kaum noch klar denken. Immer derselbe Satz geisterte durch ihren Kopf: »Er wird sterben. Er wird sterben. Er wird sterben.«

Sie versuchte, ihren Geist zu beruhigen, doch es gelang ihr nicht. Ihre Unruhe und Anspannung übertrugen sich auf ihren Körper, der unkontrolliert zu zittern begann. Um das Zittern zu unterbinden, umschlang sie ihren Körper fest mit den Armen, sodass ihr fast die Luft wegblieb. Sie beobachtete beunruhigt, wie Jack mit einem dünnen Kettenhemd und einem kleinen Dreizack ausgestattet wurde. Während die Krieger das Blickfeld zu den Fenstern freiräumten und einen lebenden Gang zu einer kleinen Holztür, die rechts neben den Fenstern in die Wand eingelassen war, bildeten, drehte sich der Thron des Königs in Richtung Fenster. Auch die übrigen Anwesenden wandten sich dem Schauplatz Airm zu.

Jack trat an Willow heran. Sie hob niedergeschlagen den Kopf, ihr Blick war auf die kalten Steinfliesen gerichtet gewesen, und der junge Mann erschrak vor der Traurigkeit, die sich in ihren Augen festgesetzt hatte. Willows Hände zuckten, das Mädchen trat vor, stoppte, schritt wieder einen Schritt vor und hielt erneut an. Wenige Zentimeter trennten die beiden voneinander, während Willow vorgab, Jacks Waffe und Kettenhemd auf Festigkeit zu überprüfen. Aber sie nahm nicht einmal den Dreizack wahr, der in ihrer Hand lag.

»Bitte, lass mich nicht allein«, bat das Mädchen flüsternd.

Sie gab Jack die Waffe zurück und beugte sich vor. Sie umarmte ihn, wobei sie aber so tat, als wollte sie nur den Sitz des Kettenhemdes kontrollieren. Stattdessen küsste sie ihn, für alle anderen im Saal verborgen, auf die Wange. Dann übertrug sie Kräfte auf ihn, in der Hoffnung, sie mögen ihm nützlich sein. Eine glühende Woge schoss in Jacks Inneres und gab ihm Stärke und

Kraft. Jack genoss Willows Umarmung, spürte ihr ängstliches Zittern und küsste sie wiederum auf den Hals, der verborgen unter ihrer Haarmähne lag.

»Ich komme wieder«, versprach er.

Sie trennten sich voneinander, worauf Jack einem Krieger zunickte, der sich neben ihnen aufgebaut hatte. Dieser führte ihn durch den Gang aus lebendigen Körpern und Speeren zur Tür. Kurz vor dem Portal blieb Jack stehen und sah zurück. Willow stand immer noch an der Stelle, wo er sie zurückgelassen hatte, ein wenig verloren und sie nickte ihm zu. Myth wieherte und Rachels Hand winkte zwischen den Gitterstäben hindurch. Ozeanus würdigte ihn mit einem erwartungsvollen Blick und Ixion, das Ungeheuer, grinste, erheitert, sichtlich erfreut, und näherte sich Willow.

Nein, Willow, dachte Jack, dann öffnete sich das Tor.

Willow beobachte Jack, wie er vor der Tür stand, die aufschwang, und hindurchtrat. Draußen, vor der Öffnung schimmerte türkisfarbenes Wasser und das Mädchen wunderte sich darüber, warum es nicht in die Halle schwappte und alles überflutete.

Jack verschwand im Nass, als sich eine riesige Hand auf Willows Schulter legte. Sie erschrak zutiefst, schaute auf und wandte ihren Blick sofort wieder zu Boden. Ixion hatte sich besitzergreifend hinter sie gestellt und führte sie zur Seite in die Reihe der Krieger, die den Gang aufgelöst und sich nun vor den Fenstern aufgereiht hatten. Sie freuten sich wie das Volk auf ein spannendes Schauspiel. Willow fand sich zwischen Ixion, der dicht hinter ihr stand, und zwei weiteren Wassermännern eingekeilt, die sie mit anzüglichen und zugleich belustigenden Blicken würdigten. Etwas weiter links in der Folge der Kämpfer erblickte sie Myth mit Rachel, auch mit einem Krieger auf jeder Seite. Während sich Ixions Pranken über ihren Oberkörper zu ihrem Bauch bewegten und er sie näher an seine schuppige Haut drückte, starrte Willow unentwegt ins düstere Wasser. Da erschien Jack. Er schwamm langsam ins Blickfeld und schaute kurz in die Halle, dann wandte er sich um und strebte in die Höhe Richtung Wasseroberfläche.

Nein! Er muss ja Luft holen, dachte Willow besorgt, während sie sich aus Ixions Griff zu winden versuchte. Der Gigant erhöhte den Druck seiner Hand auf ihren Leib, hob sie wie eine Spielzeugpuppe hoch und drehte ihren Kopf mit seiner freien Hand seinem Gesicht zu. Willow sträubte sich vor dem erwarteten Kuss und schloss angewidert die Augen, aber als die vermeintliche Berührung nicht kam, öffnete sie ihre Lider. Ixion lachte schallend und setzte sie auf den Boden ab, aber ohne seinen Griff zu lösen. Nein, er spielt mit mir, schoss es ihr in den Kopf und ihr wurde vor Abscheu übel. Während Ixion sich weiter mit Willow amüsierte, so brutal und herrisch, dass Willow nun lautlos weinte, kehrte der SorMor zurück aus den Schatten des Airms.

»Das friedliche Monster«, sagte Willow zu sich, während sie an Ixion dachte.

Er fuhr mit gierigen Fingern durch ihr Haar, drückte ihren Körper an sich und berührte unverfroren ihren Körper. Willow versuchte, ihm Herr zu werden, seine Hände abzublocken, doch jegliche Gegenwehr ihrerseits war vergebens. Er ergriff einfach ihre Hände und hielt sie fest, während er sie mit der anderen Hand weiterhin betatschen konnte. Völlig erstarrt ertrug sie nun die Spielchen ihres Peinigers. Dann erschien Jack auf der Bildfläche. Er war von der Wasseroberfläche zurückgekehrt und stellte sich mit gezücktem Dreizack dem gigantischen Fisch entgegen. Der Kampf auf Leben und Tod begann.

# 20    Der SorMor

Jack schleuderte sich mit all seiner Verzweiflung und seinem Zorn der Bestie entgegen. Verzweifelt, da er die Zeit, die ihm blieb, um das Ungeheuer zu töten, an seinen Fingern abzählen konnte. Er hatte nur wenige Minuten, bis er wieder an die Wasseroberfläche zum Atmen musste. Und er war sich sicher, dass dann seine Zeit abgelaufen war. Jack würde nicht lebendig am SorMor vorbeikommen, geschweige die Zeit haben, aufzutauchen und Luft zu holen. Der SorMor würde sich Jack schnappen, wenn er durch das Auftauchen und die blendende Sonne abgelenkt war. Voller Zorn auf Ixion, der sich in aller Öffentlichkeit an Willow verging, stach er mit dem Dreizack zu, meinte den Fisch zu treffen, aber die glänzenden Zacken gingen ins Leere.

Nur noch 5 Minuten.

Diesmal griff der SorMor an. Er stürzte auf Jack los, riss sein Maul auf und biss zu. Jack wich nach links aus und verpasste dem Riesen einen Hieb mit seiner Waffe, als dieser mit hoher Geschwindigkeit an ihm vorbeiraste. Die Spitzen des Dreizacks kratzten nur an der Schuppenhaut, verletzten sie nicht.

4 Minuten und 30 Sekunden.

Das Ungetüm wendete im großen Bogen, wandte sich Jack erneut zu, aber dieser war kampfbereit. Er stach nach den Augen des Fisches, traf die Stirn und drückte die Waffe tief ins Fleisch. Der Schuppenpanzer brach, der erste Blutstropfen löste sich. Vor Aggression und Überraschung bäumte sich der SorMor auf.

4 Minuten.

Jack wurde mit starker Wucht weggeschleudert, mit ihm die Waffe, die aus seinen Fingern glitt und zum Grund des Airms hinabsank. Er schrie innerlich vor Verzweiflung auf, griff nach, aber er erreichte den Dreizack nicht mehr.

Noch 3 Minuten.

Jack versuchte, mit raschen Schwimmbewegungen, die bereits an Stärke verloren hatten, zum Grund hinab zu tauchen, aber da erschien der Raubfisch erneut. Diesmal war Jack zu langsam. Der Fisch klappte sein Maul auf und verschlang ihn. Jack stürzte in eine Höhle aus Schleim und Wasser, verfing seinen rechten Arm zwischen den scharfen Zähnen und konnte ihn gerade noch befreien, bevor das Ungetüm die Zähne zusammenschlug. Der junge Mann riss seinen verwundeten Arm vor Qual an sich, gab einen Schmerzenslaut von sich und stieß dabei einen Schwall Luft aus seinen Lungen.

1 Minute.

Jack rutschte in Richtung Rachen, konnte sich aber – soweit es mit einer Hand möglich war – am glitschigen Rachen festklammern. Dort versuchte er, Kraft zu schöpfen, und bemerkte zu seiner Freude, dass Willows Kräfte in ihm wirkten. Der Schmerz verebbte, das Blut versiegte und die Wunde schloss sich. Aber da wartete schon das nächste Problem auf ihn. Der Fisch schluckte. Jack wurde in einem Sog aus Feuchtigkeit und Gestank mitgerissen, krallte sich in das Fleisch des Monsters, aber glitt ab.

40 Sekunden.

Verzweifelt griff Jack in seine Jacke. Er suchte nach etwas, was ihm helfen konnte. Schließlich fand er – völlig vergessen – seinen Dolch in der linken Jackentasche. Er war in ein dickes Tuch eingewickelt. Jack hatte ihn nach dem Bad im Teich dort eingewickelt, um ihn zu trocknen, und hatte ihn achtlos in seine Jacke gesteckt. Er war dankbar dafür. Hätte er die Waffe nicht so verborgen bei sich getragen, wäre sie ihm bestimmt durch die Nymphen abgenommen worden. Rasch ergriff er das geschliffene Metall, riss es aus dem Stoff und stieß es gegen die hintere Seite des Fischrachens, als seine Beine in den Schlund hinabrutschten. Das Eisen bohrte sich tief in das weiche und empfindliche Fleisch, schnitt es auf und wurde zum blutigen Rettungsanker. Jack stoppte und schwebte an einem blutroten Messergriff über einem tiefen und stinkenden Abgrund. Jack zog sich langsam hoch, stöhnte vor Anstrengung. Das Tier bäumte sich auf, schluckte und mahlte mit den Zähnen, um den Störenfried loszuwerden. Jack krallte seine linke Hand in das nasse Fleisch am Gaumen und als er sich sicher war, einen festen Halt zu haben, ließ er den Messergriff los. Einige Sekunden hing er nun mit nur einer Hand am Oberkiefer, schaukelte hin und her, da das Ungetüm wie wild seinen Kopf schüttelte. Dann riss Jack das Messer heraus, um es sofort wieder in das Fleisch zu schlagen. Das Ungeheuer erzitterte unter diesem Hieb. Jack stach wild auf den Rachen ein, seine Stiche wurden schwächer, während er in der Dunkelheit hing und das dicke, schwere Blut des SorMor an ihm herunterlief. Er wusste, dass es bald vorbei sein würde. Er brauchte frische Atemluft, seine Lungen schmerzten. Auch wenn dieser Schmerz nur von kurzer Dauer war, da Willows Kräfte ihre Arbeit taten, wusste Jack, dass es kritisch wurde. Er löste das Kettenhemd von seinem Oberkörper und ließ es in die Tiefe des Fischrachens gleiten, um den Druck auf seine Lungen zu vermindern. Es nützte nichts. Mit einem letzten Hieb schlug er nach dem Ungeheuer, dann ließ er entkräftet das Messer sinken. Es war vorbei. Eine tödliche Schwäche überkam Jack. Er dachte traurig an Willow. Es tut mir leid. Nicht einmal der Gedanke an Ixion konnte Jacks müde Gedanken aufwecken, den Zorn in ihm entfachen. Er hatte verloren. Jacks linke Hand entkrampfte sich, seine Finger lösten sich aus dem feuchten Fleisch, glitten über die glitschige Haut. Plötzlich schrie eine Stimme laut in seinem Inneren: »Nein, Jack!«

Jack war so erschrocken, dass er fast seinen Halt verloren hätte, aber er klammerte sich noch in letzter Minute fest.

»Was?«, fragte er in sich hinein.

»Jack, du schaffst das! Vertraue auf deine Kraft, dann kannst du den SorMor besiegen.«

Willow schien durch ihre Kräfte mit ihm kommunizieren zu können. Sie gab ihm Mut und neue Energie. Eine glühende Woge zuckte durch Jacks Körper. Der junge Mann spannte sich an und rammte das Messer mit voller Kraft in den SorMor. Das Ungeheuer schrie auf, öffnete sein Maul und spuckte ihn aus. Dieser drehte sich herum, um sich kampfbereit auf den Fisch zu stürzen, aber das war nicht mehr nötig. Der SorMor zuckte ein letztes Mal, dann starb er und versank in einer Spur aus Blut in den unergründlichen Tiefen des Airms. Jack meinte, das Gesicht eines Mannes zu sehen, das ihn dankbar anlächelte, doch diese Erscheinung schob er auf seine Erschöpfung und vergaß sie.

Einige Zeit schwebte Jack unbewegt im Wasser – nur die leichten Bewegungen seiner Arme hielten ihn dort, wo er war –, dann erwachte er aus seiner Starre und arbeitete sich mit letzter Kraftanstrengung zur kleinen Tür, an deren Schwelle alles begonnen hatte. Erschöpft warf er sich hindurch und fiel nach Luft ringend auf den Fliesenboden der Halle.

»Jack!«, schrie Willow.

Sie riss sich von Ixion los, der wie alle anderen voller Staunen erstarrt war, und stürzte zu ihm, der mit Mühe Luft in sich hineinsaugte.

»Jack, du lebst!«, wiederholte sie immer wieder, während sie den Freund, der vor Wasser troff und vor Kälte und Erschöpfung zitterte, fest umklammerte.

»Willow«, brachte Jack stotternd hervor.

Der Dolch glitt klirrend aus seiner Hand auf die Bodenplatten und der junge Mann fiel in Willows Arme. Sie hob den Dolch auf, realisierte eine Sekunde lang den Hund auf dem Griff, dann schob sie den Dolch mit einem Kopfschütteln in die Schlaufe an Jacks Gürtel. Sie streichelte Jacks nasse Haare, löste ihren Umhang und legte ihn um seine zitternden Schultern. Jack seufzte dankbar, als er die angenehme Wärme auf seiner Haut spürte, und schloss kurz die Augen. Willow streichelte sanft seinen Rücken und drückte ihn fest an sich. Dann sah sie hinter sich und sah Ozeanus' Aufforderung, zu ihm zu kommen.

»Jack, der König will uns sprechen«, flüsterte sie Jack zu, löste sich von ihm und versuchte, ihn aufzurichten. Jack wehrte sich nur einen kurzen Moment, dann stand er mit Willows Hilfe auf. Sie führte ihn stützend zum Thron. Als sie vor Ozeanus standen, stürzten sich Myth und Rachel voller Freude auf Jack. Die Fesseln des Pferdes waren gelöst worden und auch Rachel war frei. Im Freudentaumel umarmten sich die vier. Während ihr freudiges Lachen wie ein schillernder Paradiesvogel durch den Raum schwebte, erhob sich lauter Beifall auf den Tribünen und Balkonen. Die Nymphen lachten, klatschten und verstummten erst, als sich ihr Herrscher aufrichtete und seine rechte Hand hob. Willow löste sich aus den Umarmungen und trat dem König entgegen: »Herr.«

Der Monarch glitt von seinem Thron hinab und verbeugte sich vor dem Mädchen.

»Herzlichen Glückwunsch. Ihr habt meine Aufgabe mit Bravour erfüllt. Somit seid ihr frei. Ich bedaure die Unannehmlichkeiten, die ihr in Korloch ertragen musstet.«

Sein Blick fiel auf Ixion, der sich zornerfüllt abwandte.

»Wenn ihr sofort aufbrechen wollt, werden wir euch unterstützen, aber ich möchte euch bitten, die Gastfreundschaft der Nymphen anzunehmen und euch hier einige Tage von den erlittenen Strapazen zu erholen. Es wird euch an nichts mangeln und ihr könntet die Pracht und Schönheit meines Reiches kennenlernen. Außerdem lade ich euch zum morgigen Sommernachtsball ein.«

»Ozeanus, König der Nymphen, wir nehmen Eure Einladung mit Freude an und treten dem Nymphenvolk ohne Hass entgegen.«

»Nun«, die Majestät klatschte in die Hände:

»Man wird euch in eure Zimmer bringen. Für den Pegasus wird der beste Stall hergerichtet und auch die Fee wird dort einen Schlafplatz finden, falls sie es vorzieht, bei ihrem Freund zu bleiben. Willow, für Euch und Euren Begleiter werden zwei Schlafgemächer im königlichen Stockwerk bereitet. Wenn etwas nicht Eurem Willen entspricht, lasst es mich bitte wissen.«

Willow nickte zustimmend, dann erschienen zwei Feen. Die eine führte Rachel und Myth, die andere Willow und Jack zu ihren Gemächern.

# 21 Schatten der Erinnerung

Die kleine Fee führte Willow und Jack durch prachtvolle Gänge. Willow stützte Jack, der sich kaum noch auf den Beinen halten konnte. Sie war darüber sehr erschrocken und war sich nicht sicher, ob es wirklich nur die körperliche Erschöpfung vom Kampf war oder ob da noch etwas anderes war, das Jack so zu schaffen machte. Denn als sein Blick auf die beiden Wasserelfen gefallen war, war sein Gesicht plötzlich zu Stein erstarrt und seine Augen waren dumpf und leer geworden.

»Jack, halte durch«, flüsterte sie ermutigend:

»Wir sind bald da. Bald kannst du dich ausruhen.«

Jack gab nur ein leises Stöhnen von sich, ansonsten kämpfte er mit seinen inneren Dämonen. Er war innerlich so voller Traurigkeit und versuchte die Tränen, die über seine Wangen laufen wollten, zurückzudrängen. Schmerzlich verzog er das Gesicht und erschrak vor der Trauer, die sein Herz überfiel. Die Fee hatte sich vorher in der Halle als »Europa«, »tiefes, blaues Wasser«, vorgestellt und gesagt, dass sie eine Wasserelfe sei. Bei diesem Wort und dem Anblick des niedlichen Wesens war in Jack etwas zerbrochen, ein jahrelanger Schutz, den er um sein Herz gelegt hatte, und der nun zersplittert war. Er habe die Augen einer kleinen Wasserelfe. Hatte dies nicht seine Mutter gesagt? Seine Mutter! Wie Blitze durchzuckten ihn die Erinnerung an seine Eltern, ihr Lächeln, ihre Liebe, ihr Sterben. Jack versuchte, diese

Gedanken wieder zurückzustoßen in die finsteren Tiefen seiner Seele, versuchte seinen eisigen Panzer zu bewahren, der ihn schützte, aber er hatte all seine Kraft bei seinem Kampf gegen den SorMor verbraucht. Quälend lagen die Gesichter der Eltern wie glühende Kohlen auf seinem Herzen. Sie würden ihn verbrennen, wenn er sie nicht löschte. Sie löschte, indem er weinte. Verzweifelt kämpfte er gegen die Tränen an. Tränen waren seine Feinde. Denn, hatte er nicht geschworen – am Tag nach dem Tod seiner Eltern –, niemals mehr in seinem Leben zu weinen?

Plötzlich hielt Willow an und Jack hob fragend den Kopf.

»Wir sind da«, sagte Willow mit nachsichtiger Miene und lächelte Jack entgegen. Sie standen vor zwei Türen in einem goldverzierten, blaugetünchten Gang.

Europa deutete auf diese und gab Willow zwei Schlüssel.

»Das sind eure Zimmer. Ich hoffe, dass sie euren Wünschen entsprechen. Falls irgendetwas fehlt, läutet nach mir mit dieser Glocke.«

Europa zeigte auf eine kleine Glocke, die jeweils in beiden Zimmern neben der Tür angebracht war.

»Ich wünsche euch eine gute Nacht und freue mich darauf, euch morgen unser Reich zeigen zu dürfen.«

Darauf verschwand sie in einem blauen Schimmer. Willow sah ihr noch kurz nach, dann führte sie Jack zu einer Zimmertür und schloss sie auf.

»So, wir haben es geschafft. Ich helfe dir noch …« Sie stieß die Tür auf und wollte Jack hineinführen, als er sich mit einem lauten Schrei von ihr losriss, ins Zimmer hineintaumelte und auf dem Boden zusammenbrach.

Erschrocken streckte Willow ihre Hände nach ihm aus und schrie: »Jack! Was hast du?«

Dann folgte sie ihm ins Zimmer, schloss die Tür hinter sich und kniete sich neben ihm nieder.

Jack hatte sich auf dem Boden zusammengekrümmt, verbarg sein Gesicht in seinen zu Fäusten geballten Händen und kämpfte immer noch gegen die Tränen an. Dann schaute er auf, ernst und hart, und sagte tonlos: »Ich habe sie nicht retten können.«

Willow sah ihn verwirrt an und fragte: »Wen hast du nicht retten können? Du hast uns doch gerettet?!«

»Ich bin schuld. Schuld an ihrem Tod. Ich konnte sie nicht retten …«

Jack murmelte nur vor sich hin und sah Willow überhaupt nicht an. Er schien weit weg zu sein, weit weg in einer anderen Welt.

Willow rüttelte sachte an Jacks Schulter.

»Jack, wovon sprichst du? Wen hast du nicht retten können?«

Jack reagierte immer noch nicht darauf. Er gab immer wieder den Satz »Ich habe sie nicht retten können. Ich habe sie nicht retten können« von sich.

»Jack!«, rief Willow jetzt lauter.

Sie rüttelte stärker an seiner Schulter, sodass er sich plötzlich ruckartig zu ihr umdrehte und sie anstarrte.

Seine Augen waren voller Tränen und er stieß abgehakt hervor: »Meine Eltern! Ich bin schuld daran, dass meine Eltern tot sind. Ich habe sie getötet!!!«

Willow zuckte erschrocken zurück. Ein scharfer Schmerz fuhr in ihr Herz und ihre Brust krampfte sich stoßartig zusammen.

Er hat seine Eltern getötet? Sie rutschte auf dem Steinboden weg von ihm und griff an ihre Brust.

»Du hast deine Eltern getötet?«

In ihrem Geiste erschienen Bilder, wie Jack jemanden erschlug; sie sah eine tote Frau und einen toten Mann, blutig entstellt. Sie schluckte schwer und spürte, wie sich ihre Augen ebenfalls mit Tränen füllten.

Dann riss sie sich zusammen und kam wieder auf Jack zu.

»Jack, bitte erzähle mir, was geschehen ist.«

Zögernd griff sie nach ihm und nahm ihn schließlich in die Arme. Jack sträubte sich nur kurz, dann ließ er ihre Berührung zu. Und schließlich begann er zu erzählen: »Meine Eltern sind gestorben, als ich acht Jahre alt war.«

In Willows Miene stahl sich Erschrecken, doch sie entgegnete nichts, sondern ließ ihn weitersprechen.

»Eines Nachts kam ein Bär ins Haus und stürzte sich auf sie. Ich wollte ihnen helfen, aber mein Vater ergriff mich und versteckte mich hinter einer Kommode. Er befahl mir, dort zu bleiben, was auch immer geschah. Vor Angst zitternd harrte ich hinter dem Möbelstück aus, als ein Schrei erklang. Der Schrei meiner Mutter. Ich kam aus meinem Versteck hervor und sah, wie meine Mutter unter den Hieben des Bären zu Boden ging. Ich habe laut ›Mama, Vati‹ geschrien, sodass der Bär mich bemerkte und auf mich losstürmte. Mein Vater warf sich ihm in den Weg und rettete mir mein Leben, wobei er seines noch in derselben Minute verlor.«

Jacks Stimme versagte. Er kämpfte erneut gegen die Tränen an, dann berichtete er Willow weiter über die Zeit nach dem Tod seiner Eltern, über das unerträgliche Leben im Heim, über seinen Ausriss.

»Ich bin schuld daran, dass sie gestorben sind. Wenn ich kämpfen hätte können, wenn ich in meinem Versteck geblieben wäre … Ich konnte sie nicht retten.«

Mit diesen Worten endete er seine Erzählung. Willow blieb zuerst stumm, sie drückte ihn nur ganz fest, dann löste sie sich von ihm und sah ihn an. Sie ergriff sein Kinn und hob seinen Kopf an, sodass sie sich in die Augen sehen konnten.

»Jack, du bist nicht schuld daran, was an diesem Abend geschehen ist. Du warst ein Kind und hättest nichts tun können. Du bist unschuldig.«

Jack unterbrach sie mit erstickender Stimme: »Nein, ich habe sie umgebracht …«

»Jack, belüge dich nicht selbst. Unglücke geschehen, ohne dass jemand etwas dagegen tun kann.«

»Nein, das ist nicht wahr.«

»Jack, deine Eltern hätten niemals gewollt, dass du ihren Tod als deinen Fehler ansiehst.«

Unter diesen Worten zerbrach Jacks Gegenwehr. Die erste Träne seit zwölf Jahren bahnte sich einen Weg über seine Wangen. Er versuchte, weitere zurückzuhalten. Er seufzte schwer, dann ergab er sich den Tränen und ließ sich von Willow erneut in die Arme nehmen. Während Jack an ihrer Schulter weinte, zerbrach auch Willows letzte Gegenwehr. Ein schrecklicher Schmerz bohrte sich in ihr Herz. Der Tod ihrer Eltern, ihres Onkels Taboor schlug in ihr Bewusstsein ein wie ein Blitzschlag. Lange hatte sie Gedanken daran verdrängt, ihren Schmerz und ihre Traurigkeit unterdrückt. Jetzt brach alles mit voller Wucht über sie zusammen. Ein gequältes Schluchzen entwich ihrem Mund, ihre Augen füllten sich mit Tränen. Voller Verzweiflung klammerte sich Willow an Jack, der sich wie ein Ertrinkender an ihr festhielt. Nun weinte sie mit ihm – um seine Eltern und um ihre geliebte Familie.

## 22    Erbe der Eltern

Willow hatte ihn bereits seit einer Weile verlassen und war durch die kleine Verbindungstür in ihr Zimmer verschwunden. Wenn er sie brauchte, sollte er sie nur rufen und sie würde kommen. Jack war sich sicher, dass er sie nicht rufen würde, denn sie beide brauchten Ruhe und Schlaf. Außerdem war er an dem Punkt angelangt, an dem er nur allein mit seiner Trauer fertigwerden konnte. Und sie musste bestimmt auch allein sein, um mit dem Tod ihrer Eltern klarzukommen. Sie hatte ihm erzählt, dass sie ihre Trauer die ganze Zeit unterdrückt hatte, um nicht einfach irgendwann vor Schmerz zusammenzubrechen. Erst als er seine Gefühle zeigte und sie realisiert hatte, dass sie nun in Sicherheit waren, war ihr innerer Schild zerbrochen und die Tatsache, dass ihre Familie wirklich tot war, hatte sie wie ein wildes Tier angefallen … Sie brauchte bestimmt Zeit für sich. Oder nicht? Brauchte sie eher Zuneigung, Trost? Besorgt sprang er aus dem blauen Himmelbett. Vielleicht weinte sie gerade.

Leise ging er zur Verbindungstür und öffnete sie vorsichtig. Willows Zimmer war ein exakter Zwilling seines eigenen, nur spiegelverkehrt. Prunkvoll mit blau getünchten Wänden, die mit vergoldeten Verzierungen und Gemälden von Nymphen geschmückt waren. Auf einem weichen blauen Teppich standen zwei kleine antike Stühle und ein rundes Tischchen. An einer Wand stand eine Kommode und an der Kopfseite des Raumes das Bett. Alle Lichter waren gelöscht, nur ein bläulicher Schimmer, der von der Decke zu kommen schien und den sie auch schon im Gefängnis gesehen hatten, tauchte alles in ein diffuses Dämmerlicht. Plötzlich drang ein schwaches Schluchzen an sein Ohr. Es kam vom Bett und Jack näherte sich auf leisen Sohlen. Willow lag quer über der Decke – noch vollständig bekleidet mit Umhang und Sandalen – und weinte. Er kniete sich vor ihr nieder und strich über ihr Haar.

»Willow«, sprach er sie an und bemerkte erst jetzt, dass sie schlief.

Sie hatte sich wohl weinend auf das Bett geworfen und war aus Erschöpfung eingeschlafen. Zärtlich strich er über ihre von Tränen feuchten Wangen und nach wenigen Minuten hörte sie auf zu weinen. Vorsichtig löste er ihren Umhang und schnürte ihre Sandalen auf. Dann ergriff er ihren zierlichen Körper, balancierte ihn auf einem Arm und schlug die Bettdecke zurück. Er legte sie ins Bett und deckte sie zu. Er wachte neben ihr, hielt ihre Hand und streichelte ihre Wange, bis er sicher war, dass sie nun ruhig schlafen würde. Jack verließ ihr Gemach, ging in das Bad, das an sein Zimmer grenzte. Er schälte sich aus seinen dreckigen Gewändern, an denen immer noch Blut von SorMor klebte, und wusch sich. Dann begab er sich zurück in seinen Schlafraum nur mit einem Handtuch auf den Hüften und suchte in einer kleinen Kommode für sich nach passenden Kleidungsstücken. Er fand Unterwäsche, die er zugleich anzog. Daneben Hemd und Hose, die er neben das Bett legte. Erschöpft schlüpfte er unter die Bettdecke.

Doch es ihm war keine Ruhe vergönnt. Jack wälzte sich ruhelos herum. Er war in einem dunklen Traum gefangen. Immer wieder erschienen ihm die Gesichter seiner Eltern und dann befand er sich hinter der Kommode, wo ihn vor zwölf Jahren sein Vater versteckt hatte. Der Schrei seiner Mutter erklang und Jack bewegte sich von selbst ohne irgendein Zutun aus seinem Versteck. Seine Mutter. Sein Vater. Ihr Tod.

Während sich der Moment ihres Todes immer wieder vor seinen Augen abspielte, durchzuckte es Jack wie ein Blitz. Die braunen Augen seiner Eltern glühten blau auf, seine Mutter nahm die Züge einer Raubkatze und sein Vater das Aussehen eines Wolfes an, dann starben sie – als Menschen. Während der achtjährige Junge beim Anblick seiner toten Eltern im Traum aufschrie, schrie auch Jack und schreckte vom Bett hoch.

Während Jack noch verstört in seinem Bett saß und stockend atmete, wurde die Verbindungstür aufgerissen. Willow stürzte herein, immer noch in ihrem Kleid.

»Jack!«, schrie sie, während er erschrocken zusammenzuckte.

So sehr war er noch in seinen Erinnerungen gefangen und hatte schon den Bären in sein Zimmer kommen sehen. Willow blieb stehen, verwirrt über seinen seltsamen Ausdruck in den Augen. Dann trat sie heran und ließ sich auf der Bettkante nieder.

»Jack, was ist geschehen?«, fragte sie ihn.

Sie streckte eine Hand aus und berührte Jack sanft am Arm. Sie errötete leicht, als sie seines nackten Oberkörpers gewahr wurde, und sah zur Seite. Jack nahm nur ihre Zärtlichkeit wahr, nickte ihr dankend zu, dann sprach er ernst: »Ich hatte einen Albtraum.« Er stockte kurz, zögernd. »Ich habe vom Tod meiner Eltern geträumt.«

Bei dem Wort Eltern zuckten Jacks Gesichtszüge, er wehrte sich nur kurz, dann liefen Tränen über seine Wangen. Willow nahm ihn tröstend in die Arme und tätschelte besänftigend seinen Rücken. So saßen sie einige Zeit, bis Jack zu weinen aufhörte. Aber auch, als die letzte Träne schon über sein Gesicht geronnen war, blieb Jack, wo er war, und umarmte Willow fester. Sie errötete erneut, bewegte sich aber ebenfalls nicht vom Fleck. Fast gierig sog Jack ihren zarten Duft ein. Noch nie hatte er ihn so intensiv wahrgenommen. Sie duftete nach jungen Weidenblättern, nach Frühling. Er spürte ihren Herzschlag auf seiner Haut und sein Körper wurde heiß unter der Berührung ihrer Hände. Schließlich ließ er sie los und lächelte sie an.

»Du riechst gut.«

Willow lachte leise auf, wurde noch röter und fragte neckisch: »Meinst du diesen Baumgeruch? Er verfolgt mich nach jeder Metamorphose mindestens zwei Tage lang.«

Beide lächelten sich an und wurden wieder ernst.

»Ich habe geträumt, dass ich wieder ein achtjähriger Junge bin und den Tod meiner Eltern nochmals miterleben muss. Dieser Traum verfolgte mich viele Nächte im Heim, aber heute war er anderes. Meine Eltern verwandelten sich im Kampf. Meine Mutter und mein Vater nahmen Tiergestalt an. Meine Mutter verwandelte sich in eine Tigerin, mein Vater in einen Wolf und ihre braunen Augen wurden blau.«

»Sie verwandelten sich?«

»Ja, ich habe es mir nicht eingebildet. Ich kann mich daran erinnern, als wäre es gestern gewesen. Als Kind konnte ich es nicht einordnen, ich meinte etwas gesehen zu haben, doch es ergab für mich keinen Sinn. Ich verdrängte, was ich gesehen hatte. Aber jetzt! Meine Eltern müssen aus Ayin gekommen sein. Sie waren Metamorphorier wie du.«

Willow sah ihn zweifelnd an. Sie glaubte es nicht so recht.

»Du hast wirklich gesehen, wie sie sich verwandelt haben?«

»Glaub mir bitte. Meine Eltern waren nur kurz in ihrer Tiergestalt. Sie waren schon so geschwächt, verletzt, dass sie die Metamorphose nicht mehr dauerhaft vollziehen konnten.«

»Auch wenn es mir schwerfällt, glaube ich dir. Metamorphorier auf der Erde?!«

Jack grübelte kurz, dann rief er aus: »Also bin ich auch ein Metamorphorier. Wie verwandle ich mich?«

Jack richtete sich kerzengerade im Bett auf und warf seine Arme demonstrativ in die Luft. Aber nichts geschah; Jack war ein wenig enttäuscht und ließ traurig seine Schultern hängen. Willow musste über seine geradezu kindliche Begeisterung lachen – sie passte irgendwie nicht zu seinem sonst eher ernsten Auftreten – und schüttelte dabei den Kopf:

»Jack, du kannst dich nicht einfach so verwandeln.«

Sie umarmte ihn und sprach dann – an seine Schulter gedrückt – gedämpft weiter: »Selbst deine Eltern, die aus Ayin gekommen sein mussten, haben ihre Herkunft, ihre Fähigkeiten vergessen. Sogar ihre Augen verloren ihre Farbe. Und du bist ohne das Wissen, ohne die leiseste Ahnung, welche Kraft du in dir trägst, aufgewachsen. Du kannst dein Erbe nicht selbst erwecken. Deine Kraft muss sich selbst aus dem Dornröschenschlaf reißen, sich selbst aus dem Innersten deiner Seele befreien.«

# 23   So etwas wie Geborgenheit

Jack beobachtete Willow, wie sie neben ihm im Bett schlief. Seine Hand glitt über ihr seidiges Haar, das ihren Kopf und die zierlichen Schultern umspülte, dann fiel sein Blick auf ihre zarten, leicht geöffneten Lippen und er berührte auch diese kurz. Seine Finger glitten weiter über ihren schlanken Hals, schoben den Träger ihres Kleides, der über ihre Schultern gerutscht war, wieder an die richtige Stelle. Die Nacht war wunderschön gewesen.

Willow und Jack hatten sich noch lange unterhalten. Über Metamorphorier, über ihre Eltern, über ihre unterschiedlichen Leben. Irgendwann waren sie eingeschlafen. Die Anstrengungen der letzten Tage hatten schließlich ihren Tribut gefordert.

Jack fühlte sich erholt und gekräftigt wie schon lange nicht mehr, obwohl Willows Kräfte seinen Körper verlassen hatten und in ihren zurückgekehrt waren. Jack war ihr für den Kräftetausch sehr dankbar, denn ohne sie hätte er wohl den Kampf gegen den SorMor nicht überlebt. Er drückte Willow einen Kuss auf die Stirn, dann sprang er aus dem Bett und zog sich vollständig an. Dann machte er sich hungrig auf die Suche nach etwas Essbarem. Im Zimmer war es nun heller, der blaue Schein war stärker geworden, sodass Jack die Tageszeit auf kurz vor Mittag schätzte, obwohl es hier keine Fenster gab. Mit knurrendem Magen entdeckte er auf dem kleinen, runden Tisch ein Tablett. Darauf standen so viele Gefäße mit Leckereien und Kostbarkeiten, dass Jack fast vor Freude in die Luft gesprungen wäre. Europa hatte ihnen, während sie schliefen, Frühstück bringen lassen. Er schnappte sich das Servierbrett, balancierte es auf seinen Händen und kehrte zum Bett zurück. Während er es auf der Bettdecke abstellte, erwachte Willow gähnend.

»Guten Morgen, Frühlingsweide«, begrüßte er sie.

Die junge Frau erwiderte den Gruß mit einem genervten Lächeln und ergriff ein Kissen, um es nach ihm zu werfen. Aber als sie das Frühstück sah, das sich vor ihr aufbaute, vergaß sie ihr Vorhaben und lächelte Jack dankbar an.

»Guten Morgen, Jack«, sprach sie, wobei sie ihre Augen nicht vom Essen lassen konnte.

In zahlreichen Schüsseln und Schälchen entdeckte sie viele Leckereien. Neben dem sogenannten Nymphenkuchen, kleine köstliche Gebäcke, die nach Honig schmeckten, gab es verschiedene Früchte, von denen selbst Willow nicht einmal alle kannte. Weiter noch kleine Blüten, einige aus dem Land der Schönheit. Jack und Willow langten kräftig zu und in kurzer Zeit hatten sie alles aufgegessen. Nachdem Jack das Tablett abgeräumt hatte, saßen sie beide noch nebeneinander auf dem Bett. Willow nippte an einer Tasse dampfendem Tee, als sie sich sachte an Jacks Schulter lehnte. Er sah es mit Freude und umschlang sie sanft mit einem Arm.

Sie sah ihn mit erröteten Wangen an und sagte leise: »Hier fühle ich mich sicher und geborgen. Hier bei dir.«

Jack zog sie näher an sich heran und küsste sie sanft

auf die Schläfe. Kurz verharrte er mit seinen Lippen auf ihrer weichen Haut, dann lehnte er seinen Kopf leicht an ihren. So saßen sie lange Zeit zusammen, bis sie sich schließlich voneinander lösten und Willow in ihr Zimmer verschwand.

Jack ging ins Bad und wusch sich. Ungefähr nach einer Stunde erschien Willow wieder. Sie trug ein neues Kleid und begann schwärmerisch zu erzählen.

»Jack, ich habe ganz vergessen, wie himmlisch ein heißes Vollbad sein kann. Das heiße Wasser war einfach herrlich! Jack?«

Er hatte die ganze Zeit nichts gesagt, sondern starrte nur fortwährend ihr knielanges und ärmelloses Kleid an. Es war aus weißer Seide, von einem fließenden Schnitt, mit glitzernden Fäden verwoben, sodass der Stoff wie ein Regenbogen schimmerte.

»Ist es nicht wunderschön, Jack?! Und dabei war es noch das einfachste und schlichteste Kleid, das ich finden konnte.«

Jack ergriff ihre Hand, um sie zu küssen, aber Willow drehte sich schwungvoll in seine Arme. Kurz ließ sie ihn ihre Wärme spüren, dann wollte sie sich wieder herausdrehen, aber Jack hielt sie fest.

»Jack, nein«, stieß sie leise hervor.

Sie versuchte, sich aus dem Griff seiner Arme, die sie fest umschlungen hielten, zu befreien. Zitternd kamen ihr die gebieterischen Hände Ixions in den Sinn, als sie schließlich erleichtert bemerkte, dass Jack sie nur aus Spaß festhielt. Zuerst kitzelte er sie am Nacken und am

Bauch, sodass sie ihre Sorgen herauslachte. Dann, als sie sich wieder beruhigt hatte und leise in seinen Armen lag, berührten seine Fingerspitzen zart ihren Rücken, der nur zur Hälfte vom Stoff des Kleides bedeckt wurde, und fuhren ihre Tätowierung nach.

»Weidenzweige, die eine aufblühende Lilie umfassen. Willow, es ist wunderschön.«

Willow errötete. Nervös strichen ihre Fingerspitzen über seine muskulöse Arme, die sich nun beschützend um ihren Bauch gelegt hatten. Willows Blick fiel auf die lange Narbe an Jacks rechtem Unterarm. Vorsichtig, ganz sanft näherten sich ihre Fingerkuppen dem weißen, gezackten Strich. Sie berührten ihn. Kurz und flüchtig.

»Jack, wie ist das passiert?«, fragte sie ihn leise, während sie ihr Gesicht kurz zu ihm umwandte.

Willow spürte das Beben, das durch Jacks Körper jagte und wieder verebbte. Jack atmete tief durch, dann erzählte er ihr von der Gewitternacht, als das Fenster fast sein Tod gewesen wäre. Willow erschrak mehrere Male und lehnte sich an seine Schulter, seine letzten Worte im Raum verhallten, und schloss für kurze Zeit die Augen.

Sie spürte, wie sich seine Arme fester um ihren Körper schlangen. Seinen warmen Atem, der über ihre Haut strich. Die Wärme, die von seinem Körper ausging. Das neue Gefühl, das in ihr erwachte. Einen Atemzug, dann öffnete sie die Augen. Jack sah sie erwartungsvoll an, dann platzte er plötzlich lachend heraus: »Du singst gut, Willow.«

»Du lügst.«

»Nein«, erwiderte er in vollem Ernst. »Du singst wunderschön.«

Willow blickte ihn etwas zweifelnd an, aber als sie in seine Augen sah, erkannte sie, dass er es ernst meinte.

»Ich war zwar auf der Brücke etwas abgelenkt«, Jack räusperte sich, »aber dein Gesang ist mir doch nicht entgangen. Das Lied hat mir sehr gut gefallen. Leider habe ich nicht viel vom Text mitbekommen … Könntest du es noch einmal singen?«

Willow versuchte, sich mit einem Nein auf den Lippen loszumachen, aber Jack hielt sie fest. Diesmal aber noch viel zärtlicher als zuvor.

»Sag mir wenigstens den Titel des Liedes«, bat er sie, indem er ihr flehend in die Augen sah.

»Es war Ayins Lied, mein, nein, *unser* Heimatlied«, sprach sie stockend.

»Bitte sing es mir noch mal vor«, beschwor er sie.

Er strich ihr eine Strähne aus dem Gesicht. Ein Zittern ging durch ihren Körper. Diese Nähe!

Willow gab sich einen Ruck und flüsterte ihm ins Ohr: »Du hast gewonnen. Ich mache es. Aber nur wenn du mich dieses Mal nicht schlägst.«

Jack streichelte zärtlich ihre Wange, die er in seiner Raserei auf der Brücke geschlagen hatte, und antwortete: »Versprochen.«

# 24    Garten Eden

Europa, die kleine Wasserelfe, schwebte in das Gemach, als ihr die Verse »erstrahlen tausend Blumen / in einem wahren Farbenmeer« entgegenflatterten. Sanft und klar, voller Schönheit. Willow brach erschrocken ab, als sie Europa entdeckte, und löste sich mit geröteten Wangen aus Jacks Umarmung. Er trat einen Schritt zurück.

»Hallo, ihr zwei«, begrüßte die Fee sie freundlich und meinte mit einem Lächeln: »Folgt mir. Ich möchte euch das Reich der Nymphen zeigen.«

Die Elfe flog vorweg und die beiden folgten ihr nach kurzer Überlegung. Europa führte sie durch prächtige, mit Skulpturen und Gemälden von Nymphen und anderen Wasserwesen geschmückte Gänge und Hallen. Nach kurzer Zeit kamen sie an riesigen Fenstern vorbei, die, wie im Thronsaal, die farbenvolle Unterwasserwelt des Airms zeigten. Kleine gelbe Fische mit roten Flossen schossen zwischen Steinen hindurch, träge, kugelrunde Fische mit grünen langen Stacheln durchpflügten riesige Fischschwärme aus winzigen, blauweißen Fischchen. Ein großer orangenfarbener Hai mit Krokodilmaul erschreckte lilafarbene Seepferdchen, die zwischen den bunten Korallen Verstecken spielten. Ein bläulich glänzender Krebs erschien kurz auf der Bildfläche; er klapperte mit den Scheren, dann wurde er von zwei übermütigen goldenen Aalen vertrieben. Diese glitten majestätisch durch die Fluten, um dann im Schatten der

Tiefe zu verschwinden. Nachdem die kleine Gruppe einige Zeit dieser fremden Welt zugeschaut hatte, flatterte Europa weiter und ließ sie eine schmale Treppe emporsteigen. Nach einem kurzen Aufstieg kamen sie schließlich zum höchsten Punkt Korlochs, zu den Gärten des Friedens, Sartis. Diese lagen anders als die Gemächer, Säle und Hallen über dem Wasserspiegel. Die Wogen des Airms plätscherten leicht gegen die natürlichen Mauern aus Felsen, die Sartis einfassten. Jack und Willow blieben voller Erstaunen stehen, als sie einen ersten Blick auf die Anlagen warfen. Zahlreiche, saftige, blühende Wiesen, auf denen einige kunstvoll geschnittene Sträucher wuchsen. Dazwischen fanden sich immer wieder mit wunderschönen Platten belegte Plätze, auf denen hölzerne Sitzgelegenheiten ruhten. Mehre Wege, aus Steinplatten gelegt und wie Sonnenstrahlen angeordnet, führten auf ein Zentrum zu. Dort befand sich ein prachtvoller Brunnen. Seine steinernen Nymphen schienen im Wasser des großen, kreisförmigen Beckens zu spielen und zu planschen. Alles war voller Ruhe, voller Harmonie.

Gelassen und fröhlich schritten die beiden Menschen mit Europas Begleitung einen Weg entlang, tiefer in das Paradies hinein. Sie erfreuten sich an der lebendigen Natur, den Grashalmen, die im Wind tanzten, und dem lieblichen Gezwitscher der Vögel. Jack und Willow ließen ihren Blick schweifen, weiter über die sich kräuselnde Oberfläche des Airms, weiter nach Süden, wo weit in der Ferne die Mauern Moranas auszumachen waren. Im Nordwesten erkannten sie die peitschenden Baumwipfel des Dunklen Waldes. Nebelschwaden umhüllten den Wald und minderten die Sicht in die Ferne. Dort, irgendwo hinter dem Nebel- und Wolkenschleier, tief im Zentrum des Waldes, verbarg sich Kankarios. Der Grund für ihre strapaziöse Reise.

Noch weiter westlich verschluckte ein dunkles Loch alles Licht, das Land der Finsternis, und etwas südlicher, über das Bett des Mairs hinweg, lagen die blühenden Ausläufer des Lichtreiches. Langsam begaben sich die drei zum Brunnen der Nymphen im Mittelpunkt von Sartis.

Willow und Jack hatten es sich auf einer Holzbank in der Nähe des großen Brunnens gemütlich gemacht, als ihnen ein freudestrahlender Pegasus und zwei geschwätzige Feen entgegenkamen. Jack blieb auf der Bank liegen, richtete sich aber auf, als Willow, die neben ihm gesessen war, aufsprang, um ihren Freunden entgegenzueilen. Lachend umarmte sie Myth und führte ihn zur Bank, und alle ließen sich nieder. Jack legte sich zurück und Willow gesellte sich wieder zu ihm, um ab und zu über seinen Kopf zu streicheln. Myth ließ sich vor ihnen auf den Steinplatten nieder und die Feen, Rachel, Europa und Elektra, setzten sich auf seinen rechten Vorderlauf, den er ausgestreckt hatte. Myth präsentierte seinen professionell geschienten Flügel und schwärmte von der guten Behandlung, die ihm zuteilgeworden war. Neben der ärztlichen Versorgung des Bruches war sein Fell gestriegelt worden und er hatte das beste Heu zum Fressen bekommen. Auch Rachel strahlte vor Glück und sie bestätigte, wie nett sie behandelt worden waren. Absolut kein Vergleich zu Beginn, als sie in den Kerkern Korlochs gelandet waren. Glücklich und entspannt unterhielten sie sich weiter: Über Korloch, von dem Elektra und Europa viel erzählen konnten. Über Moran und Sirarin.

Nach einiger Zeit offenbarte Willow die Neuigkeit: »Jack ist auch ein Ayiner, sogar ein Metamorphorier.«

Alle nahmen freudig diese Nachricht auf und Rachel sah sich in ihrem ersten Eindruck, den sie von Jack gehabt hatte (»Ich habe es doch gewusst«), bestätigt. Aber auf die Frage, in was er sich denn verwandeln konnte, schüttelte Jack nur traurig den Kopf und erklärte, dass er seine Kräfte erst entdecken müsse. So saßen sie beisammen. Die Zeit verging wie im Fluge und es wurde Abend.

Während die Sonne in den goldenen Fluten des Airms versank, verabschiedeten sie sich voneinander. Elektra führte Myth und Rachel zurück in den Stall, aber Jack und Willow verweilten noch im Garten Eden. Am westlichen Rand des Paradieses standen sie, Hand in Hand, und bewunderten das Farbenspiel der untergehenden Sonne. Als glitzernde Sterne die Nacht funkelnd begrüßten, kehrten auch sie ins Schloss zurück. Europa brachte sie zu ihren Gemächern und versprach, dass sie in ungefähr einer Stunde zum Sommernachtsball abgeholt werden würden. Passende Kleidung fänden sie jeweils in ihren Zimmern.

# 25   Der Ball

Willow erschien nach einiger Zeit in Jacks Zimmer. Als sie im blauen Dämmerlicht hereintrat, erstarrte Jack vor Bewunderung. Er glaubte, eine Prinzessin zu sehen, nein, einen Engel, vom Himmel herabgestiegen. Sie trug ein langes, ärmelloses Kleid, das leicht über dem Boden strich. Es war von himmlischem Weiß, aus einem zarten, funkelnden Stoff. Das Gewand war so geschnitten, dass es zart Willows Form umspielte, und sich nach unten wie ein lang gezogener Blütenkelch öffnete. Ihr dunkelblondes Haar hatte Willow mit weißen Bändern verflochten und ihre zarten Hände steckten in samtigen Handschuhen, die auch ihre Unterarme bedeckten. Jack verbeugte sich vor ihr, worauf sie einen leichten Knicks machte, dann reichte er ihr seinen linken Arm, den sie ergriff. Staunend lächelte sie Jack an, erstaunt über seine tadellosen Manieren und seine ungewohnte Erscheinung. Er trug einen schwarzen Anzug, schwarz wie die Nacht, aus einem sehr weichen Stoff. Ein perfekt passendes Hemd spitzte unter der Jacke hervor, und Jacks sonst etwas wirres Haar war edel zurechtgekämmt. Dann versank Willow in seinen Augen. Sie strahlten in einem Gesicht mit tiefen Augenbrauen und markanten Gesichtszügen. Vor Freude oder auch nur im Kontrast zum Schwarz des Gewandes. Sie wusste es nicht. Jack, der zuerst ernst und vornehm wirken wollte und keine Miene verzogen hatte, erwiderte nun ihr Lächeln und grinste ihr entgegen, während er sich ebenfalls in ihren Augen verlor. Sie waren wie kleine Diamanten, so facettenreich strahlten sie. Im Gesicht eines Engels.

Sie wurden aus ihrem Staunen gerissen, als es an der Tür einmal laut klopfte. Willow zupfte ihr Kleid zurecht, dann stellte sie sich neben Jack und bat den Gast herein. Die Tür öffnete sich und es trat ein riesiger Mann ein, so groß, dass es den beiden die Sprache verschlug. Einige Zeit war es still im Raum, dann schrie Willow leise auf und machte einen tiefen Knicks.

»Meine Majestät, Ozeanus, König der Nymphen.«

Jack verbeugte sich tief, obwohl er nicht verstanden hatte, was sie gesagt hatte. Sie sprach wieder in der Sprache der Nymphen. Doch die Erscheinung des Gegenübers ließ auch für Jack nur diesen einen Schluss zu. Vor ihnen stand Ozeanus.

In einem edlen Anzug, um den Hals das königliche Medaillon. Aber ohne den gigantischen Fischschwanz. Vor ihnen stand ein Mann auf zwei menschlichen Beinen. Jack stellte sich neben Willow, reichte ihr den Arm, den sie automatisch ergriff. Er sah ihr verwundert entgegen. Sie erwiderte seinen fragenden Blick, dann sprach sie mit dem König.

Einige Zeit unterhielten sie sich. Eine Zeit, die an Jacks Geduld zerrte. Schließlich war das Gespräch zu Ende und Willow drehte sich zu ihm um. Sie nickte ihm aufmunternd zu. Er verstand und sie folgten dem Monarchen. Er führte sie zum Thronsaal, in dem der Ball stattfinden sollte. Auf dem Weg trafen sie auf andere Nymphen, zumeist Paare, auch ohne Fischschwänze, die sich vor ihrem Herrscher verbeugten, um sich dann dem Zug anzuschließen.

Schließlich kamen sie zu den Türen des Saales, die sich wie von Geisterhand öffneten. Ihren Augen sprang ein schillerndes Farbenmeer tanzender Nymphen entgegen. Fröhliche Musik drang an ihre Ohren. Freudestrahlend blieb Willow stehen und sah ihren Begleiter an, der vor Staunen den Mund aufgerissen hatte. Ozeanus, der vorangegangen war, blieb stehen und wandte sich zu ihnen um. Er lächelte sie an, dann wünschte er ihnen in ihrer Sprache viel Vergnügen.

Während Jack noch verdutzt dem Monarchen hinterherschaute, führte Willow ihn weiter in den Raum hinein. Der Thron und die Tribünen waren verschwunden und die Mitte frei, um zu tanzen. Ringsherum standen kleine Tischchen, an denen es sich einige Pärchen gemütlich gemacht hatten und angeregt plauderten. An der Seite gegenüber der großen Fensterwand stand eine lange Tafel, auf der festliche Speisen dargeboten wurden. Der Saal war von lieblichen Klängen erfüllt und Nymphen in den prächtigsten Gewändern wirbelten voller Freude über den Boden. Jack riss sich von diesem Bild los und führte Willow zum Büfett. Dann setzten sie sich an einen kleinen Tisch und verspeisten nymphische Spezialitäten. Nachdem sie fertig gegessen hatten, blieben sie sitzen und Willow erzählte Jack von ihrem Gespräch mit dem König.

»Ozeanus war sehr erfreut, uns zum Sommernachtball begrüßen zu dürfen. Schließlich erklärte er mir auch, dass die Nymphen bei Bedarf ihre Fischschwänze verlieren. Diese Fähigkeit hätte sich im Laufe der Jahre entwickelt, als die Nymphen dieses Schloss erbauten und sich dort niederließen. Der Fischschwanz sei unpraktisch geworden und schließlich verschwand er über Nacht. Und er kann natürlich unsere Sprache. Nur zuweilen ist er etwas eigen und besteht auf Nymphisch.«

Jack nickte und beobachtete Willows Hände, wie sie einen Handschuh abstreiften.

Willow blickte flüchtig auf ihre Finger, dann sprach sie weiter: »Ich habe auch mit Ozeanus vereinbart, dass wir morgen Mittag aufbrechen. Wir sollten keine Zeit verlieren, auch wenn in Korloch alles in Ordnung zu sein scheint. Vielleicht geht Morana gerade unter …«

Traurig verstummte sie, in Gedanken bei ihren Eltern, Verwandten und Freunden, die sie verloren hatte. Jack lächelte sie nachsichtig an, berührte leicht mit seiner rechten Hand ihre linke und räusperte sich.

»Möchten Sie tanzen, Engel in Weiß?«

Willow versteifte sich und zog ihre Hand zurück. Ihr Gegenüber blickte sie verwundert an, griff nach ihrer Hand und drückte sie zärtlich. Willow schaute betrübt auf, dann sprach sie mit einem schiefen Lächeln auf den Lippen: »Jack, wie gern würde ich. Aber meine Eltern hatten nie Zeit … der Kampf gegen Brutanios … Ich kann leider nicht tanzen.«

Jack lachte leise, hielt ihre Hand fest und stand auf.

»Komm mit. Ich bringe es dir bei.«

Zuerst sträubte sich die Ayinerin, aber Jack drängte sie weiter und sie gab sich schließlich einen Ruck und folgte ihm. Als er sie auf die Tanzfläche führte, kamen ihnen unmittelbar Myth und Rachel entgegen. Willow lief auf sie zu: »Wie geht es euch?«

Nachdem sie ein wenig geplaudert hatten, zog Jack Willow wieder zu sich zurück und führte sie, während der Pegasus und die Fee das Büfett aufsuchten, zu einer freien Stelle zwischen den Tanzenden. Nun standen sie sich einige Sekunden stumm gegenüber und, während die letzten Akkorde des gerade gespielten Stückes verklangen, machte sich Jack für das nächste Lied bereit.

»Willow, bleib locker. Du brauchst nichts weiter zu tun, als meinen Bewegungen zu folgen. Hier, nimm meine Hand.«

Mit diesen Worten ergriff er ihre linke Hand und legte seine rechte auf ihren Rücken, den das Kleid fast vollständig frei ließ. Willow machte einen kleinen Satz, als sie seine Hand unterhalb ihres Schulterblattes spürte. Jack lächelte nachsichtig und machte einen ersten Schritt nach vorn, als das Lied begann. Willow folgte ihm unbeholfen; er ging zurück, sie schritt vor und trat auf seinen Fuß.

»Entschuldigung«, sagte sie leise.

Sie schaute immerzu auf ihre Füße.

»Halt«, flüsterte er.

Er hielt kurz an und blickte seiner Partnerin in die Augen.

»Willow, du versuchst, mit dem Kopf zu tanzen. Nein. Schließ deine Augen.«

»Ich soll meine Augen schließen, da trete ich doch erst recht auf deine Füße«, protestierte sie, bereits entmutigt.

»Vertraue mir, Willow. Höre auf die Musik, sie wird dich leiten, und achte auf meine Bewegungen. Einverstanden?«

Willow blickte ihn unsicher an, dann gab sie sich sichtlich einen Ruck und schloss ihre Augen:

»Wenn das mal gut geht.«

Jack begann sich langsam zu bewegen und sie versuchte, ihm so gut wie möglich zu folgen. Zuerst steif und vorsichtig, aber bald verinnerlichte sie den Rhythmus der Musik und reagierte viel schneller auf Jacks Weisungen. Fröhlich öffnete sie ihre Augen und lächelte ihm dankbar entgegen. Nun wirbelten die beiden ausgelassen durch die Menge; manchmal befürchtete sie zu stürzen, doch Jack hielt sie sicher fest und korrigierte auch ohne Probleme ihre kleinen Fehler, die sie machte, wenn sie aus dem Takt gekommen war.

Nach einigen weiteren Liedern verließ das Paar die Tanzfläche und ließ sich bei Myth und Rachel nieder. Schwer atmend fiel Willow auf den Stuhl, den ihr Jack hinschob, dann setzte er sich neben sie. Willow lächelte und brachte fröhlich hervor: »Jack hat mir das Tanzen beigebracht.«

Der Pegasus nickte Jack anerkennend zu, Willow stimmte zu und fragte ihn: »Wo hast du so gut tanzen gelernt?«

Jack, der gerade im Begriff war, Getränke zu holen, stoppte kurz und meinte nur: »Von einer Freundin.«

»Von welcher Freundin?«, fragte Willow ihn, als er sie wieder auf die Tanzfläche führte.

Sie hatten zuvor die Getränke getrunken, die Jack geholt hatte, und sich mit ihren beiden Freunden unterhalten. Jack, der sie in Position drehte, erwiderte neckisch: »Du bist aber neugierig.«

Er fühlte sich irgendwie ertappt.

»Ich interessiere mich für dich«, gab sie augenzwinkernd zurück.

»Gut, sie hieß Amanda. Sie arbeitete als Aushilfskraft im Heim. Von ihr habe ich, unter anderem, tanzen gelernt.«

»Was ist mit ihr geschehen?«

»Sie hat mich verlassen«, meinte Jack mit verzogener Miene.

»Warum?«

»Ich war zu jung«, erklärte Jack zerknirscht.

»Warum?«

»Sie war achtzehn und ich – nun ja – dreizehn.«

Willow riss ihre Augen verwundert auf. Weiter erfuhr sie aus Jacks Tonfall heraus, dass er danach viele Frauen gehabt hatte, aber nie für lange. Nie hatte er einen wahren Freund gefunden. Er musste sehr einsam gewesen sein, ohne Eltern, ohne Freunde, ohne Liebe.

»Willow, lass uns die Vergangenheit vergessen«, bat er sie, während er ihre Hände ergriff.

Sie verharrte kurz in Gedanken, dann lächelte sie ihm entgegen. Jack legte erneut seine Hand auf ihren Rücken und Willow ergriff die andere. Dann warteten sie auf den Beginn der Musik. Als die ersten Töne erklangen, lächelte Jack und meinte: »Schön. Ein ruhiges Lied.«

Daraufhin zog er das Mädchen näher zu sich heran

und begann zu tanzen. Willow folgte seinen ruhigen Bewegungen, war etwas verwirrt durch die neue Nähe, aber ihre Anspannung verschwand schnell. Während sie gemütlich auf der Stelle tanzten, löste Jack seine Hand aus ihren Fingern und legte sie auf ihre Schulter. Mit einem fragenden Blick zog er Willow noch näher zu sich. Sie ließ es geschehen und glitt mit ihrer freien Hand über seine Schulter. Willow drückte sich dicht an ihn, sodass ihre beiden Körper unter der zarten, vorsichtigen Berührung erzitterten. Glücklich legte das Mädchen ihren Kopf auf seine Schulter und schmiegte sich an ihn. Dann flüsterte sie leise in sein Ohr:

»Jack, ich bin so dankbar für die Zeit mit dir. Ich hoffe, du verzeihst mir meine Fehler, den Seelenraub, meine Ängstlichkeit. Du bereust doch nicht, mich vom Fluch befreit zu haben?«

Jack wandte seinen Kopf zu ihr und erwiderte: »Willow, das Beste, was ich in meinem Leben getan habe, war, dich zu küssen.«

Und er küsste sie.

# 26    Ein Geschenk für Ixion

»Wir müssen es ihm heimzahlen. Ixion muss dafür bezahlen, was er dir angetan hat«, brummte Jack.

Sie saßen wieder am Tisch bei Myth und Rachel. Nachdem Jack Willow auf die Wange geküsst hatte, hatten sie schweigend bis zum Ende des Liedes getanzt. Eigentlich wollten sie noch weitertanzen, aber da war Ixion auf der Bildfläche erschienen. Zuerst hatten sie ihn nicht erkannt, da auch er seinen Fischschwanz in zwei Beine eingetauscht hatte. Aber ein Blick in sein grinsendes Gesicht hatte Willow genügt, ihr die Laune gründlich zu verderben. Voller Zorn und Ekel war sie von der Tanzfläche gestapft und Jack hatte ihr betrübt folgen müssen. Nun war auch er wütend, da Ixion ihm den schönen Abend verdorben hatte. Während sie über eine Rache nachdachten, flatterten ihnen Elektra und Europa entgegen. Willow schenkte ihnen ein Lächeln, während sie sich neben Rachel auf die Tischkante setzten, dann schien ihr eine Idee gekommen zu sein und sie fragte die beiden: »Was wisst ihr über Ixions Harem?«

Kurz blickten sie die Ayinerin verwundert an, dann antwortete Elektra: »Nicht viel. Warum interessiert euch das?«

Jack antwortete gereizt, indem er Willow in seine Arme zog: »Sagen wir, er ist uns etwas schuldig.«

Willow strich Jack beruhigend über den Arm und löste sich von ihm. Anschließend klärte sie die beiden auf, die daraufhin versprachen zu helfen.

»Wie Ixions Harem aussieht, kann ich dir leider nicht genau sagen«, erwiderte Elektra. »Ich weiß nur, wie der Raum früher ausgesehen hat, bevor ihn Ixion erhielt. Er liegt in einem etwas versteckten Bereich des königlichen Stockwerks. Früher war er das Gemach der Prinzessin, aber sie ist vor einigen Jahren spurlos verschwunden.«

Willow sah sie erschrocken an und unterbrach sie: »Verschwunden? Die Prinzessin?«

Elektra und Europa nickten traurig, konnten dazu aber auch nicht mehr sagen. Elektra kehrte zur Beschreibung des Raumes zurück.

»Er ist achteckig und in seiner Mitte wächst ein Baum, der durch die Decke bis in die Gärten Sartis reicht. Um den Stamm herum gibt es eine kleine Treppe, auf der die Prinzessin in die Gärten steigen konnte. Außerdem soll der Saal von solcher Schönheit gestrahlt haben, dass es jedem Besucher den Atem verschlug. Leider erhielt Ixion den Raum, indem er sich den Gram des Königs über seine verlorene Tochter zu Nutze machte. Noch heute ärgert sich der König über seine Großzügigkeit. Doch er wagt nicht, gegen Ixion vorzugehen, da er ein loyaler Krieger ist.«

Willow schüttelte ungläubig den Kopf. Wie konnte Ixion den König so in der Hand haben?

Elektra erzählte weiter:

»Nun nutzt Ixion den Raum für seinen Harem. Er lässt junge Mädchen an der Brücke der Gier einfangen oder zieht sie unter Wasser, wenn sie im Airm schwimmen. Sie sollen, wie ich gehört habe, in den einstigen Kleiderschränken, die nun zu Käfigen umgewandelt wurden, untergebracht sein und sich nachts, wenn Ixion seinen Fischschwanz verloren hat, um sein Wohlbefinden kümmern.«

»Ist das Gemach abgeschlossen?«

Elektra nickte bejahend:

»Es ist immer verschlossen, aber nicht durch einen Schlüssel, sondern durch Zauberei. Die Tür öffnet sich nur, wenn Ixion es ihr befiehlt.«

Willow seufzte traurig:

»Es wird schwierig, dort hineinzukommen.«

»Was wollt ihr dort drinnen?«

»Die Mädchen befreien. Sie sind unschuldig. Sie haben es nicht verdient, so zu leiden. Niemand hat das. Ich habe Ozeanus zuvor darum gebeten, doch er hat abgeblockt. Er fühlt sich Ixion verpflichtet. Er hat ihm in seiner tiefen Trauer beigestanden«, erwiderte Willow.

»Wie kommen wir nur dort hinein?«

Nach kurzer Stille sprach Willow erneut: »Mir ist eine Idee gekommen. Hört mir zu. Ixion wollte mich ja auch ursprünglich für seinen Harem. Als es ihm Ozeanus verwehrt hatte, hat er vor Wut geschäumt. Das sollten wir uns zu Nutze machen. Ich glaube, ich brauche nicht allzu viel Überzeugungsarbeit zu leisten, damit er mich in sein Gemach bringt …«

Jack unterbrach sie: »Nein, das lasse ich nicht zu. Bist du verrückt geworden? Er wird wieder zudringlich werden.«

»Das ist beabsichtigt, Jack.«

»Willow, was ist, wenn du nicht gegen ihn ankommst?«

Jacks Augen füllten sich mit Angst, als er seine Arme um sie legte.

Sie hatte sehr wohl gehört, was er gesagt hatte. Kurz dachte sie darüber nach. Sie spürte Ixions Hände auf ihrem Körper, seine Lippen auf ihrem Mund, als er sie gewaltsam küsste. Obwohl ein angstvolles Zittern durch ihren Leib jagte, antwortete sie mit fester Stimme: »Jack, ich traue es mir zu. Ich werde mich schon zu wehren wissen. Also, weiter im Plan. Ixion bringt mich in sein Gemach. Ich gebe vor, dass ich ihm alles geben werde, was er will. Schicke ihn mit der Bitte, mir etwas zu essen zu holen, in den Saal zurück.«

»Willow, wie willst du das anstellen?«

»Ich werde etwas kreativ sein müssen. Keine Angst, Jack, ich schaffe das. Wenn Ixion den Raum verlässt, fliegt Rachel zur Tür und stoppt sie, sodass ihr zwei hineinkommen könnt. Wir blockieren die Tür, befreien die Mädchen und lassen sie über die Baumtreppe in die Freiheit klettern. Darauf verschwinden wir, bevor Ixion zurückkehrt. Wir werden uns beeilen müssen, da wir wahrscheinlich nur wenige Minuten zur Verfügung haben werden. Elektra, weißt du, wie man die Gefängnisse öffnet?«

»Der Schlüssel hängt an der Kette, die Ixion um den Hals trägt.«

»Gut, das wird dann wohl meine Aufgabe«, meinte Willow.

Geschwind verteilte sie die übrigen Aufgaben an ihre Gefährten, auch wenn sich Jack immer noch gegen den Plan sträubte. Schließlich waren alle bereit. Willow verabschiedete sich und ließ sich von Jack in den Arm nehmen. Kurz schmiegte sie sich an ihn, ein Zittern ging durch ihren Körper. Jack wollte sie festhalten, als sie sich losmachte.

»Ich schaffe das schon«, meinte sie aufmunternd.

Jack sah die Angst in ihren Augen, als sie sich aus seiner Umarmung löste.

Willow fand sich in Ixions Armen wieder. Sie hatte ihn im Ballsaal angesprochen und er war sofort auf sie angesprungen. Nun führte er sie zu seinem Gemach und hielt sie fest umschlungen. Ihr Körper zitterte und in ihr versuchten Angst und Ekel die Oberhand zu gewinnen, aber Willow hatte sich so weit unter Kontrolle, dass sie ein Lächeln auf ihre Lippen zaubern konnte, anstatt laut loszuschreien. Auf dem Weg, der Willow einerseits wie eine Ewigkeit, anderseits wie die kurze Zeit eines Wimpernschlages vorkam, schmeichelte sie ihm mit Komplimenten, damit er nicht stutzig wurde. Heimlich blickte sie hinter seinen Rücken und sah in einiger Entfernung Rachel, die leise hinterherflog. Dicht hinter ihr folgten Jack und Myth, die genügend Abstand ließen, um nicht von Ixion durch einen zufälligen Blick ertappt zu werden.

Schließlich erreichten sie Ixions Reich. Vor ihnen öffnete sich eine goldene Tür. Zögernd trat Willow ein und hielt den Atem an. Sie war in der Höhle des Löwen. Ihr Herz schlug heftig.

Das Zimmer war groß, von einem roten Licht durchflutet. In der Mitte sah die Ayinerin den Baum und die kleine Treppe, die sich um ihn wandte. Die Wände und der Boden waren mit roten Tüchern und Fellen bedeckt und auf der Kopfseite des Zimmers stand ein riesiges Bett, das fast den ganzen hinteren Bereich des Raumes einnahm. Willow konnte nirgends die Käfige entdecken, aber sie vermutete, dass sie durch die Tücher verborgen waren. Es war fast vollkommen still im Raum; sie hörte kein Weinen und Schluchzen, sondern nur einen kleinen Vogel, der in einem Käfig eingesperrt sein klagendes Lied sang. Sie trat weiter in den Raum, während sich hinter ihr die Tür schloss. Unbemerkt huschte Rachel hinein, dann trafen die Türflügel hallend aufeinander. Willow zuckte zusammen. Sie war gefangen. Jetzt lag es an ihr. Sie durfte keinen Fehler machen, sonst war es um sie geschehen. Was hatte sie sich nur dabei gedacht? Sie war verloren.

Sie blickte zu Ixion zurück. Er sah sie voller Erwartung an. Seine Augen zogen sie geradezu aus. Dann zeigte er mit ausgestrecktem Finger in den hinteren Teil des Zimmers. Auf das Bett.

Scham und Ekel durchfluteten Willows Körper in Wogen, sie zitterte und ihr wurde schwindlig. Mit einem tiefen Seufzer ging sie weiter, ihre Knie wurden weich. Ihr Blick fiel auf das Bett. Sie dachte an Ixion, der hinter ihr stand und darauf wartete, dass sie weiterging. Mit letzter Überwindung legte sie die letzten Meter zurück, dann setzte sie sich auf die blutrote Bettdecke.

Gierig ließ sich Ixion neben sie nieder. Die Jacke glitt von seinen Schultern. Willow sah zu ihm, betrachtete seine riesigen Hände, den muskulösen Oberkörper, die Lippen, die rohen Augen. Sie wandte ihren Blick ab, atmete tief durch. Er wartete auf sie. Sie sah seine Gier und sein Verlangen. Sie musste vorsichtig sein. Wenn sie einen Fehler beging, war es um sie geschehen. Ihr Herz raste und die Angst machte es schwierig, sich zu konzentrieren. Du schaffst es, ermutigte sie sich selbst.

Sie näherte sich dem Feind. Sie legte ihre Arme um ihn und küsste ihn. Kalt. Ixion zog sie zu sich heran und drückte sie mit seinem Gewicht auf das Bett nieder. Willow schluckte und zog sich auf dem Stoff weiter zur Wand. Ixion folgte ihr. Kalt. Willow drückte sich von Ixion weg, aber er zog sie näher. Kalt. Sie bedeckte sein Gesicht mit Küssen, wandte sich dann aus seinen Pranken und setzte sich auf. Kalt. Ixion erstarrte. Er sah sie fragend an, Zorn grub sich in sein Gesicht und seine Hände krallten sich in die Bettdecke.

»Mein Schatz, Ixion.« Willow versuchte in diese Worte Zuneigung zu legen, was ihr aber nur bedingt gelang.

»Ich habe großen Hunger und ich fürchte, es könnte mich von dir ablenken. Bring mir doch bitte etwas von dem leckeren Goldbarsch, den ich im Thronsaal gesehen habe. Wenn ich gegessen habe, kann ich mich dir mit ganzer Aufmerksamkeit zuwenden.«

Willow sah schon ihr Ende, einen wütenden Ixion über sich. Sie glaubte nicht an die Macht ihrer Worte. Doch ihr Beten wurde erhört. Nachdem Ixion sie kurze Zeit irritiert angestarrt hatte, stand er auf. Langsam. Zögernd.

»Schatz, du wirst es nicht bereuen. Während du mir etwas zu essen holst und für dich ein Getränk, werde ich mich für dich vorbereiten.«

Nach diesen Worten küsste sie ihn erneut und ließ

sich gegen die Wand sinken. Der Gigant grinste unverschämt, ergriff ihr rechtes Bein und legte eine Fußfessel an einer Eisenkette an, die er aus dem Boden herauszog.

»Damit du nicht wegläufst«, erklärte er mit einem schiefen Lächeln auf den Lippen.

Willow sah in Panik zu Rachel, die ihr aus ihrem Versteck, einem Astloch im Stamm des Baumes, entgegenblickte. Damit hatten sie nicht gerechnet. Nein, ich habe den Schlüssel vergessen, kam es Willow in den Sinn, als Ixion vom Bett wegging. Die Halskette!

»Ixion!«, rief sie, sodass er sich im Gehen umwandte.

Das Mädchen winkte ihm und er kehrte zur Bettkante zurück. Willow umarmte den Riesen stürmisch und küsste erneut sein Gesicht, während sich vorsichtig ihre Finger dem Kettenverschluss näherten. Sie öffneten ihn zitternd und ließen die Kette los. Langsam rutschte sie über Ixions Oberkörper. Gefährlich! Sie musste mehr tun. Mehr Ablenkung! Mit Mühe kämpfte sie gegen Scham und Ekel an. Dann drückte sie sich eng an Ixion, küsste wild seinen Mund, ihre Fingernägel gruben sich in seinen Rücken. Ixion reagierte darauf. Seine heißen Hände berührten ihren Körper, fanden den Saum ihres Kleides. Willow wollte sich losreißen, Angst und Ekel wurden fast übermächtig. Doch sie wehrte sich nicht, denn nun kam der kritischste Moment. Die Kette war den Oberkörper hinabgerutscht und blieb auf Höhe des Bauchnabels stecken, da das in die Hose gestopfte Hemd den Weg versperrte. Willow bemerkte das Problem, noch bevor das glatte Metall völlig auf Ixions Haut zum Liegen kam, und riss das Hemd heraus. Der Schlüssel fiel …

Rachel fing ihn auf, bevor er den Boden erreichen konnte. Mit der schweren Last in ihren Händen flog sie rasch zurück in ihr Versteck. Willow harrte so lange aus. Ixions Hände lagen bereits auf ihren Schenkeln, dann riss sie sich los.

Ixion erstarrte und sah sie zornig an. Willow lächelte neckisch und erwiderte mit einem verführerischen Augenaufschlag: »Geduld, Geduld, Liebling. Bald gibt es mehr.«

Ixion starrte sie an, atmete schwer. Er schien zu überlegen, ob er sie sofort bezwingen oder warten sollte. Für Willow vergingen bange Sekunden. Doch dann gewann Ixions Neugier. Er wollte zu gern sehen, wie sie sich ihm bereitwillig präsentierte. Von Gegenwehr hatte er genug. Er grinste gierig, dann drehte er sich um und verließ raschen Schrittes den Raum.

Schnell flog Rachel hinterher und bremste die Tür mit ihrem Körper. Willow testete den Schlüssel an ihrer Fußfessel. Zu ihrer Erleichterung funktionierte er. Während sie sich vom Bett erhob, huschten ihre Freunde ins Zimmer. Myth und Rachel suchten bereits die Wände ab, während Jack Willow heftig umarmte. Sie spürte seine Sorge und genoss gleichzeitig seine Nähe. Widerwillig löste sie sich aus seinen Armen, aber ihnen lief die Zeit davon. Zwar hatten sich Europa und Elektra bereit erklärt, Ixion in ein Gespräch zu verwickeln, um ihm Zeit zu stehlen, aber er würde sich nicht ewig aufhalten lassen.

Schließlich entdeckten sie die Mädchen. Sie waren in

kleine, dreckige Käfige eingesperrt, die in den Wandschränken eingebaut waren. Die roten Tücher hatten die Schranktüren verdeckt, in die Luftlöcher gebohrt worden waren. Die meisten Mädchen waren noch halbe Kinder, meist jünger als Willow, und trugen nicht mehr als Fetzen am Leib. Alle schliefen und waren in einem schrecklichen Zustand; unterernährt und von blauen Flecken übersät. Sie weckten sie schnell und befreiten sie aus ihren Gefängnissen. Dann zeigten sie ihnen den Fluchtweg. Nacheinander liefen die Mädchen über die hölzernen Stufen in die Freiheit. Als das letzte die Treppe betrat, erschienen Elektra und Europa aufgewühlt.

»Ixion ist auf dem Weg. Beeilt euch!«

Dann flogen sie zum Baum und folgten den Mädchen.

»Wir werden ihnen den Weg über das Wasser zeigen.«

»Vielen Dank«, rief Willow ihnen nach.

Myth und Rachel durchschritten die Tür, die sie mit einem Stuhl blockiert hatten, und Jack zog Willow mit sich.

»Nein, Jack.«

Willow riss sich von ihm los.

»Ich habe noch etwas zu erledigen.«

»Aber Ixion ist gleich zurück. Beeil dich.«

»Jack, geh vor. Ich komme nach.«

Er sträubte sich, aber Willow stieß ihn aus dem Raum und riss den Stuhl heraus. Die Tür schloss sich und ließ einen verzweifelten Jack auf der anderen Seite zurück.


Willow begab sich in Eile zum Bett und legte sich darauf. Dann nahm sie die Fußfessel und legte sie wieder um ihren rechten Fuß. Sie ließ sie aber nicht einklicken, sondern verbarg den offenen Spalt mit ihrem Bein, damit Ixion glaubte, sie wäre immer noch gefangen. Nun wartete sie auf ihren Verehrer, der auch keine Sekunde später erschien. Er trug ein Tablett mit Fisch und einer Flasche Sorkok, das er auf einen kleinen Tisch neben dem Bett abstellte. Willow winkte ihn zu sich und drückte ihm in voller Umarmung einen Kuss auf die Wange. Dann, so schnell, dass Ixion nicht reagieren konnte, schloss sie den Ring der Eisenkette um sein linkes Handgelenk und sprang vom Bett in Sicherheit. Ixion versuchte, nach ihr zu haschen, aber die Kette riss ihn zurück und er blieb erschöpft auf dem Bett liegen.

»Lass mich sofort frei, Metamorphorierin. Du kommst hier ohne meinen Willen nicht heraus.«

Willow lachte, dann drehte sie sich zum Vogelkäfig um.

»Wenn es mir die Herrin dieses Reiches erlaubt, werde ich dieses Zimmer verlassen, wann immer ich will.«

Mit diesen Worten öffnete sie den Käfig. Ixion schrie gequält auf und der kleine Vogel, der goldene Federn in einem blauen Gefieder trug, flog heraus. Noch bevor er den Boden berührt hatte, verwandelte er sich und eine wunderschöne, junge Frau stand vor ihnen. Sie trug ein Kleid in den Farben des Vogelgefieders – blau mit goldenen Stickereien. Willow verbeugte sich, während sich Ixion wie vor Schmerzen auf dem Bett wälzte. Die Frau öffnete ihre Augen. Bunte Kristalle, die ihr Licht nach ganz Korloch aussandten. Den Lichtstrahlen folgten winzige zartbunte Blumen. Die Blüten wuchsen aus den Wänden, auf dem Boden, folgten dem Baum in die Höhe. Die Blumen und das Licht flogen weiter, weiter durch die Korridore zum Thronsaal. Dieser erblühte in einem leuchtenden Farbenmeer und eine verborgene Last löste sich von den Seelen der Nymphen. Gram, Hass und Trauer fielen von Ozeanus ab, er gewann seinen Frieden zurück. Seine verlorene Tochter war zurückgekehrt.

Das Licht erreichte die Gärten Sartis. Sie erstrahlten, schlafende Blüten erwachten. Die steinernen Nymphen des Brunnens wurden lebendig und besangen die Rückkehr der Prinzessin. Letztlich wuchsen zwei Brücken aus Licht und Blüten, die von nun an wieder Korloch mit den anderen Ländern verbanden. Über die südliche flohen die Kinder zurück in ihre Heimat.

»Prinzessin Psyche, Herrin von Korloch«, flüsterte Willow.

Psyche trat vor, umarmte Willow voll Dankbarkeit und erhob ihre Stimme: »Willow, verborgene Herrin, ich danke dir. Du hast mich von Ixions Fluch befreit.«

Mit diesen Worten wandte sie sich zornerfüllt Ixion zu. Willow verließ raschen Schrittes das Zimmer. Auf sie wartete ein besorgter Gefährte. Psyche würde sich nun um Ixions Bestrafung kümmern.

# 27   Klagesümpfe

Am nächsten Tag versammelte sich das ganze Volk der Nymphen zur Mittagstunde in den Gärten Sartis. Es war die Zeit des Abschieds gekommen. Wie schlecht auch alles für die Gefährten in Korloch begonnen hatte, nun waren sie traurig, gehen zu müssen. Während ihres kurzen Aufenthalts hatten sich Freunde gefunden. Myth und Rachel verabschiedeten sich bekümmert von Europa und Elektra. Willow sprach mit dem König und insbesondere mit seiner Tochter Psyche.

Es wurden ein letztes Mal Hände geschüttelt und Umarmungen ausgetauscht, dann erhob Ozeanus seine Stimme zum Abschiedsgruß: »Meine Freunde, ich danke euch. Größten Dank gebührt Willow, die meine Tochter erlöst hat. Wie kann ich euch das nur vergelten?«

Willow lächelte ihn an, dann küsste sie die Prinzessin und erwiderte:

»Eure Geschenke, Kleidung und Proviant, sind Dank genug. Nur um eines bitte ich Euch.«

»Ixion hat seine Strafe bereits erhalten und Sklaverei wird es in Korloch nie wieder geben«, antwortete Psyche.

Willow verbeugte sich.

»Das war mein Anliegen. Lebt wohl. Möge Kankarios niemals euer Reich bedrohen.«

Mit diesen Worten wandten sich die vier um, doch Psyche hielt Willow noch einmal zurück:

»Willow, warte! Vergiss nie, du und dein Freund,

ihr seid etwas Besonderes. Mehr als die anderen Menschen.«

Willow erwiderte: »Ich weiß, wir sind Metamorphorier. Mehr aber auch nicht.«

Psyche schüttelte den Kopf.

»Nein, da ist noch mehr. Folge deinem Herzen, dann wird sich deine und auch seine Bestimmung offenbaren.«

Dann senkte sie ihr Haupt und schwieg, als Jack sich zu ihnen umwandte. Die Prinzessin gab dem verwunderten Mädchen einen Kuss auf die Stirn und schickte sie endgültig fort. Die Gruppe trat ihre Reise zu den Klagesümpfen an.

Nachdem sie die Brücke und das Ufer des Airms verlassen hatten, korrigierten sie ihren Weg in westliche Richtung. Sie hatten das Ziel, die Klagesümpfe so schnell wie möglich zu durchqueren und dann am Rand des Dunklen Waldes dem Lauf des Mairs zu folgen und somit wieder zur Brücke der Gier und zum Land der Finsternis zu kommen. Der Weg war weit, aber sie waren voller Zuversicht, dass sie ihn in zwei Tagen schaffen konnten.

Fröhlich singend wanderten sie weiter, bis sich die Landschaft zunehmend verfinsterte und die Düsternis sich über sie wie ein Schleier legte. Sie waren tief in die Sümpfe vorgedrungen. Zwar versuchten sie, dem Mair zu folgen, aber sie waren öfter gezwungen, das Ufer des Flusses zu verlassen, da der Weg durch umgekippte Bäume oder Moore versperrt war. Schließlich waren sie so weit von ihrem Weg abgekommen, dass sie vor einem wahren See aus Sümpfen standen.

»Wir müssen wieder zurück zum Fluss«, meinte Willow.

Vorsichtig suchte sie einen Weg durch die stinkenden Moore. Jack stimmte ihr murrend zu und Rachel flog in die Höhe, um den Mair wiederzufinden. Traurig kam sie zurück und berichtete, dass sie nichts außer Sümpfe und graue Nebelschwaden entdecken konnte. Mit schwindender Hoffnung kämpften sie sich weiter in die Richtung, in der sie Westen vermuteten. Mehrere Male sackten Jack und Willow in den Schlamm ein, konnten sich aber aus eigener Kraft von den greifenden Händen befreien, die unter der grauen Oberfläche lauerten. Mutlos wanderten sie durch die grauen Gefilde. Hier ein Sumpf, der Blasen warf, da ein hungriges Moor, dort ein toter Baum, der traurig seine Äste hängen ließ.

Nach einem langen und beschwerlichen Marsch beschlossen sie, eine kurze Rast einzulegen. Sie suchten sich eine halbwegs trockene Stelle unter einem Baum und ließen sich dort nieder. Jack löste die Tasche von Myths Rücken, verteilte eingepackte Kuchen und Blüten. Das Mädchen zog ihren Umhang hervor und reichte Jack seine Lederjacke. Es war kalt geworden. Feuchter Dunst legte sich auf ihre Glieder und ließ sie frösteln. Jack lehnte sich an den Baum und Willow kuschelte sich dicht an ihn. Myth legte sich ihnen gegenüber, um den schneidenden Wind abzuhalten, der durch die Landschaft fegte. Rachel setzte sich auf den linken Vorderhuf des Freundes und schüttelte einen Regentropfen von ihren Flügeln.

»Hier gefällt es mir überhaupt nicht. Es ist kalt und nass.«

»Rachel, da stimme ich dir zu«, antwortete Jack, während er in einen Kuchen biss.

Willow zog ihren Umhang um sich, aß eine Blüte und begann zu erzählen: »Eine Legende besagt, dass hier in den Sümpfen am Anbeginn der Zeit, als Monster Ayin das erste Mal angriffen, lange vor Kankarios, eine Schlacht zwischen Ayinern und Ungeheuern stattfand. Das Volk Ayins sah keine Hoffnung mehr. Viele hatten bereits den Tod gefunden, als ein Retter erschien. Der kühne Krieger Arir soll hier die Scharen der Monster besiegt und Ayin seine Freiheit geschenkt haben. Obwohl hier der Sieg erkämpft wurde, erhielten die Sümpfe ihren traurigen Namen. Um all der Toten zu gedenken, die eines so sinnlosen Todes starben. Dieser Ort hat vielen das Verderben gebracht. Aber das ist Vergangenheit.«

Willow fuhr in einem hoffnungsvolleren Ton fort: »Ich glaube, dass wir noch heute Abend die ersten Ausläufer des Dunklen Waldes erreichen. Dort wird es zwar nicht heller sein, aber wir sind wenigstens den unsicheren Boden und den eisigen Wind los. Sofern wir den richtigen Weg gehen.«

Jack lachte auf.

»Was wir natürlich nie genau wissen können.«


Der ermüdende Marsch ging weiter. Durch tote Seen zu einem Ziel, das genauso trostlos schien. Jack und Willow gingen voraus und prüften mit langen Ästen die Tragkraft des Bodens. Erst wenn das Holz auf festen Untergrund stieß, gingen sie zögernd weiter. Es war eine mühsame und langwierige Arbeit, aber da es noch dunkler geworden war, konnten sie sich nicht mehr nur auf ihre Augen verlassen. Myth stapfte schleppend hinterher, in Kopfhöhe schwirrte Rachel.

Als sie wieder einmal scheinbar sicheren Boden überquerten, stieß Myth einen panischen Schrei aus. Ein lautes Seufzen und Plätschern folgten. Willow und Jack rissen ihre Köpfe zurück und erschraken. Der Pegasus war zur Hälfte in einem verborgenen Moor versunken. Sie wollten zurückstürzen, doch dann begann der Boden auch unter ihnen nachzugeben. Schnell brachten sie sich in Sicherheit und starrten zu ihrem Freund hinüber. Das Moor hatte zwei Menschen getragen, die dicht hintereinander gegangen waren, aber bei Myth war die Falle zugeschnappt. Der Pegasus strampelte wie von Sinnen und rutschte dadurch nur noch tiefer in das nasse Grab. Willow hielt ihrem Freund einen langen Ast hin, er schnappte danach, versuchte, sich daran herauszuziehen. Das Holz brach und versank im Schlamm. Myth war dem Wahnsinn nahe; sein schrilles Wiehern brach sich im Nebel.

»Nicht bewegen!«, schrie Jack.

Doch der Hengst schien ihn nicht zu hören und strampelte nur noch wilder.

»Rachel, bring ihn zur Vernunft!«

Jack riss sie so aus ihrer Starre. Sie flog rasch zu Myth und tätschelte besänftigend seinen Kopf.

»Bitte, beruhige dich. Wir helfen dir hier raus«, beschwichtigte sie ihn.

Der Pegasus beruhigte sich und hielt nun still. Jack sah sich unruhig nach einer Rettung um. Myth versank nun nicht mehr so schnell, aber beständig. Sie brauchten schnell einen rettenden Einfall.

Da! Jack hatte eine seilförmige Pflanze an einem Baum entdeckt, riss sie ab und machte eine Schlinge. Er schleuderte sie nach dem Pferdekopf, aber er traf nicht. Willow versuchte, es ihm nachzutun, fand ebenfalls ein pflanzliches Seil und warf damit nach Myth. Auch sie traf nicht.

»Rachel!«, schrie sie und die Fee erkannte das Problem.

Beim nächsten Wurf fing sie das Seil auf und legte es um Myths Hals. Schließlich lagen beide Schlingen an ihrem Platz und die Menschen begannen zu ziehen. Aber sosehr sie auch zogen, ihr Freund schien sich keinen Zentimeter zu bewegen.

»Halt, so geht das nicht!«, schrie Jack.

Dann band er sein Seil an einem Baumstamm fest und half nun Willow an ihrem Seilende ziehen. So schafften sie es.


Nach viel Mühe lag Myth erschöpft, von Schlamm triefend auf dem Boden, neben ihm seine Retter, schwer atmend. Keuchend umarmte Willow Myth und reinigte ihn vom gröbsten Schmutz.

»Nein, das darf nicht sein«, stieß sie aus:

»Wir haben die Tasche im Sumpf verloren, unseren Proviant, die Kleidung!«

Ihre Gefährten schüttelten traurig den Kopf und Jack meinte: »Zum Glück haben wir heute schon gegessen. Der Verlust des Proviants erschwert die Sache.«

Willow erwiderte lächelnd: »Wenigstens leben wir und

sind zusammen. Das ist die Hauptsache. Der Rest wird sich finden.«

Sie machten sich wieder auf den Weg. Bald dämmerte es. Als die ersten Sterne am Himmel zu sehen waren, erreichte die Gruppe den Dunklen Wald. Zuerst bemerkten sie den Übergang nicht. Doch dann wurde die Zahl der Bäume stetig größer und der Boden zunehmend trockener. Schließlich standen sie in einem dichten Wald aus Laub- und Nadelbäumen.

»Wir sollten uns ein Nachtquartier suchen«, schlug Jack vor.

Sein Blick fiel auf Willow, die neben ihm ging. Ihre Augen waren halb geschlossen, sie war dem Schlaf näher als allem anderen. Bald würde sie im Gehen einschlafen. Trotzdem taumelte sie vorwärts, als hätten ihre Füße verlernt, anzuhalten. Nach einigen Metern trafen sie auf einen kleinen Tümpel. Er wirkte bedrohlich, als würde gleich ein Ungeheuer herausspringen und seine Opfer hinunterziehen in unendliche Tiefen. Hier verweilten sie kurz, um sich vom gröbsten Dreck zu reinigen. Willow wusch ihre Füße und Sandalen, an denen noch Schlamm klebte, und auch Jack versuchte, seine Stiefel und seine Hose zu reinigen. In der Nähe fanden sie eine geschützte Lichtung, in deren Mitte eine interessante Baumgruppe stand. Vier Bäume hatten sich eng ineinander verflochten und bildeten so ein gut geschütztes Nest in einem Meter Höhe. Hier könnten Jack und Willow schlafen. Der Pegasus ließ sich gähnend davor nieder, Rachel rollte sich in seiner Mähne zusammen. Jack erklomm das Baumbett. Willow folgte ihm schlaftrunken. Er legte sich nieder und wartete darauf, dass sie es ihm gleichtat. Doch sie sah auf die Stämme der Bäume, die sich um sie wandten, blickte hinaus in den Wald. Etwas dort draußen wartete auf sie.

Dann seufzte sie schwer und sank nieder. Eng schmiegte sie sich an Jack. Sie war so müde. Unendlich müde. Endlich konnte sie schlafen. In einer letzten Bewegung breitete sie ihren Umhang über sich und Jack aus. Eine angenehme Wärme legte sich zugleich über ihren vor Kälte zitternden Körper. Dicht aneinandergeschmiegt schliefen sie im Schutze der Baumkronen ein.

# 28   Irrfahrten

Als Jack erwachte, war er allein. Willow hatte ihn schon seit geraumer Zeit verlassen, denn das Holz neben ihm war feucht und seine Glieder schmerzten vor Kälte. Ohne ihre Wärme und den schützenden Umhang war die nasse und feuchte Luft, die im Wald herrschte, verräterisch in seinen Körper gekrochen. Der junge Mann streckte sich, um etwas von der Kälte zu vertreiben, und verließ den Schlafplatz.

Als er auf dem festen Waldboden stand, schaute er sich im dämmrigen Licht um. Die aufgehende Sonne hatte es schwer, sich durch die dichten Kronen der Bäume zu kämpfen. Seine Freunde waren nirgends zu sehen, was ihn in Sorge versetzte. Schnell ging er zur Wasserstelle, die sie gestern Abend entdeckt hatten, in der Hoffnung, sie dort zu finden.

Der Tümpel sah heute viel freundlicher aus. Gestern hatte er wie ein gespenstig tiefes Loch gewirkt, das den Unglücklichen, der sich versehentlich in seine Nähe begeben hatte, ins Verderben zog. Nun war es einfach ein kärgliches, stehendes Gewässer, dessen Tiefe durch seine dunkle, blaugrüne Färbung unergründlich war. Die langen Farnhalme, die ringsherum wuchsen, verliehen ihm etwas Bedrohliches. Jack kniete sich dicht am Rand nieder und tauchte seine Hände in das kalte Nass. Die Wogen umspülten seine Finger und hinterließen auf der Haut ein prickelndes Gefühl. Er beugte seinen Kopf über das Wasser und schaufelte einige Hände voll ins Gesicht. Die Kälte nahm ihm seine Müdigkeit und sogar einen Teil seiner Sorgen. Als er die Hände vom Gesicht nahm und wieder in den Teich blickte, erschrak er zutiefst.

In der schimmernden Fläche war ein Gesicht aufgetaucht. Jack erstarrte vor Schreck, bis er schließlich Willow im Wasserspiegel erkannte. Er wandte sich um und sah die Ayinerin mit offenem Mund an.

»Guten Morgen, mein Liebster«, begrüßte sie ihn vergnügt.

Verwirrt starrte Jack sie an. Hatte sie die ganze Zeit hinter ihm gestanden? Hatte sie hier gebadet? Ihre Kleidung lag neben ihr auf dem Boden. Sie trug nur den Umhang. Darunter war sie nackt. Wenn sie hier gebadet hatte, warum hatte er sie nicht bemerkt? Er hatte sich genau umgesehen. Willow bewegte sich vor ihm. Ein Stück des Stoffes glitt von ihren Schultern. Mehr nackte Haut. Das riss Jack aus seinen Gedanken.

Willow lachte leise, dann trat sie an ihn heran und fragte ihn mit weicher Stimme: »Mein Liebster, wie hast du geschlafen?«

Jack lächelte sie an.

»Sehr gut«, meinte er. »Du wohl auch.«

Seine Augen glitten über ihren nur spärlich verhüllten Körper. Willow hatte sich verändert. Sie wirkte stärker, bestimmender. Ihre natürliche Schönheit war einer sinnlichen Erotik gewichen. Sie berührte seine Schultern und zog ihn an sich. Ihre Hände strichen über seinen Rücken. Ihr Umhang glitt langsam von ihren Schultern, um mehr zu entblößen. Zu Jacks Bedauern stoppte

Willow ihn und drückte ihn mit ihren Oberarmen an ihren Leib.

»Willow, wo sind …?«, brachte Jack stockend hervor.

Sie unterbrach ihn forsch: »Das Pferd und die Fee sehen sich ein wenig um. Sie lassen uns für einige Zeit allein, mein Liebster.«

Ein Lächeln umspielte ihre Lippen. Ihre Hände glitten weiter, dann drückte sie sich eng ihn. Sie neigte ihren Kopf. Kurz zögerte sie, dann fanden ihre Lippen seinen Mund. Stürmisch küsste sie ihn. Der Umhang fiel zu Boden.

### Irrfahrt Willow

Willow irrte durch ein Labyrinth aus toten Bäumen. Sie suchte ihre Freunde. Voller Panik schrie sie nach ihnen, rief mit verstummender Stimme nach Jack.

Doch sie erhielt keine Antwort. Verzweifelt sank sie in sich zusammen. Dann war sie wieder auf den Beinen, lief weiter. Über tote Wurzeln, abgestorbene Pflanzen und raue Steine. Immer tiefer in den Wald hinein.

### Irrfahrt Jack

Jack genoss Willows leidenschaftlichen Kuss. Lange hatte er darauf warten müssen. Fast zu lange, fand er. Er hatte sich gebremst, sein Begehren in Zaum gehalten. Nun musste er sich nicht mehr zurückhalten. Seine Hände griffen in ihr Haar. Ihr Körper schmiegte sich eng an ihn. Sie schmeckte, roch so gut. Ihre Haut war weich und warm. Was hatte er getan, dass sie nun seine Wünsche erfüllte? Darüber sollte ich nicht nachdenken, dachte er, dann drückte er Willow auf den Boden nieder. Sie folgte seiner Bewegung, sie wehrte sich nicht.

## *Irrfahrt Willow*

Willow lief immer noch. Plötzlich verfing sich ihr Fuß in einer Wurzel und sie stürzte. Schreiend schlug sie auf dem harten Waldboden auf und blieb liegen.

Schwer atmend drehte sie sich herum und rollte sich in ihren Umhang ein. Ihre Brust hob und senkte sich in unregelmäßigen Zügen. Schweiß perlte von ihrer Stirn.

Langsam wurde sie ruhiger. Schließlich zog sie sich in die Höhe und schaute auf. Vor ihr stand ein Schatten. Als sie ihn erkannte, entwich ein Schrei ihren Lippen.

## *Irrfahrt Myth*

Myth stand allein im Wald. Suchend schaute er um sich, aber seine Freunde waren nirgends zu sehen. Er war zu seiner Verwunderung allein am Rastplatz aufgewacht. Nirgends war auch nur eine Spur von ihnen zu entdecken gewesen.

Er war weiter in den Wald galoppiert, in der Hoffnung, seine Gefährten zu finden. Vielleicht waren sie ohne ihn aufgebrochen? Aber das glaubte er nicht. Suchend wandte er seinen Kopf hin und her, als eine Gestalt vor ihm aus den Schatten des Waldes auftauchte. Es war der Lichtmensch, auf den er am unglücklichsten

Tag seines Lebens gestoßen war. Der Lichtmensch, aus dem ein Krieger geschlüpft war. Der Lichtmensch, der ihn fressen wollte. Drohend trat das seltsame Wesen vor und öffnete seinen Mund, um zu sprechen, als ihn Myth anschrie: »Verschwinde, du Irrlicht. Ich habe keine Angst vor dir.«

Mit einem verwirrten Gesichtsausdruck stieß der Lichtmensch einen Schrei aus, verfloss und löste sich in Licht auf. Das Pferd wieherte das wabernde Licht wütend an, worauf es wieder in der Düsterheit des Waldes verschwand.

### Irrfahrt Jack

Jacks Lippen fuhren Willows Hals entlang. Sie lag unter ihm, dicht an ihn gepresst. Seine Hände berührten ihr Gesicht, seine Augen fanden ihren Blick. Würde es nun wirklich geschehen?

Plötzlich legten sich ihre Finger um seinen Hals und drückten zu.

### Irrfahrt Willow

Willow verstummte. Schreck lähmte sie. Vor ihr stand Taboor. Bleich, blutverschmiert, mit zerfetztem Gewand, aber er war es. Die blauen Augen, das Grinsen in seinem Gesicht.

»Taboor!«, stieß das Mädchen aus.

Freude besiegte die Angst. Willow sprang auf und warf sich in seine Arme.

»Weg, du dreckige Ratte«, zischte dieser und schlug ihr brutal ins Gesicht.

Schwer stürzte Willow zu Boden und überschlug sich mehrmals. Dann blieb sie liegen.

»Taboor, Onkel«, brachte sie unter Tränen hervor.

»Man hätte dich schon lange fällen und zu Brennholz verarbeiten sollen«, meinte er.

»Onkel«, flüsterte Willow.

Sie kroch auf ihn zu, blieb von Tränen geschüttelt vor ihm liegen.

»Du bist nicht mein Onkel«, brachte sie schreiend hervor.

»Natürlich bin ich dein geliebter Onkel. Tot, aber sonst bin ich derselbe.«

Er lachte hämisch. Drohend trat er auf Willow zu. Sie setzte sich auf, verlor aber aus Angst das Gleichgewicht und fiel auf den Rücken. Schwer atmend blieb sie liegen. Taboor donnerte weiter, während Willow verängstigt einige Meter rückwärts auf dem Boden von ihm wegrutschte.

»Ich musste sterben. Nur wegen dir. Weil du nicht kämpfen kannst. Eine Metamorphorierin, aber keine Kriegerin. Jeder von uns konnte kämpfen, aber du! Wozu bist du nützlich? Du bist ein Baum. Ein passives Wesen. Vielleicht bist du nur im Winter nützlich, als Brennholz. Und was soll die Suche nach dem Goldenen Hund? Anstatt durch halb Ayin zu laufen, malt doch einfach einen Hund golden an.«

Zornig lachend trieb Taboor das Mädchen vor sich her, bis sie rücklings in eine dreckige Pfütze fiel. Dort blieb Willow erschöpft liegen.

»Ach ja, du verfügst über Heilkräfte. Aber wer braucht

die? Was du kannst, kann jeder Arzt in Ayin tausendmal besser. Verschwinde, du nichtsnutziger kleiner Haufen Dreck.«

Mit diesen Worten verschwand er und ließ eine weinende Willow zurück.

## Irrfahrt Jack

Jack wehrte sich. Er wand sich unter Willows Griff. Sie drückte weiter zu. Sie war überraschend stark. Fragend sah Jack in ihre Augen. Und erstarrte.

Es war nicht Willow. Die Augen glühten giftgrün. Das Wesen vor ihm lachte; es lachte, während er sich unter dem eisernen Griff wandte. Kalte Lippen pressten sich auf seinen Mund.

## Irrfahrt Willow

Willow setzte sich gerade auf und wischte sich den Dreck aus dem Gesicht, als sie Jacks Stimme vernahm. Lächelnd stand er neben ihr und streckte ihr die Hand hilfsbereit entgegen. Dankbar nahm sie die angebotene Hilfe an und ließ sich von ihrem Gefährten in die Höhe ziehen.

»Jack, mir ist gerade etwas sehr Seltsames passiert …«, begann sie.

Er schleuderte sie zurück in die Pfütze.

»Jack?«, fragte sie vorsichtig, während sie ihn unterwürfig anblickte.

Seine weichen Gesichtszüge hatten sich verändert. Sie waren erstarrt. Zu einer Fratze. Zur Fratze der Gier. Willow fühlte sich dabei an Brutanios und auch an Ixion erinnert, die sie ähnlich angesehen hatten.

»Sei still, Kleine«, erwiderte Jack mit schneidender Stimme.

»Na, Seelendiebin, ist Ihnen die Pfütze angenehm? Fühlen Sie sich hier geborgen und sicher?«, fragte er sie kichernd.

Willow duckte sich, wickelte sich in ihren Umhang. Voller Angst blickte sie Jack entgegen, dann verbarg sie das Gesicht in ihren Händen.

»Komm her, Mädchen, lass uns ein bisschen Spaß haben. Du stehst doch auf gebieterische Männer. So wie du dich an Ixion rangemacht hast. Du konntest damals gar nicht erwarten, mit ihm allein zu sein.«

Willow wandte sich schluchzend ab.

»Du hast doch nicht etwa Angst, Bäumchen. Lauf nur nicht weg«, bellte Jack, als Willow von ihm wegzukriechen versuchte.

Sie verharrte und starrte ihm entgegen, als er sich bedrohlich zu ihr herunterbeugte. Seine Finger griffen nach ihrem Kleid, um es zu zerreißen.

Dann verschwand er.

### Irrfahrt Jack

Kalte Lippen pressten sich aggressiv auf Jacks Mund. Er versuchte, sich loszureißen, aber Willow hielt ihn weiterhin eisern fest. Mit zitternden Händen lockerte er ihren Griff um seinem Hals, versuchte, ihren Kopf wegzudrücken.

Ihre Zunge öffnete gewaltsam seine Lippen, drang in

seinen Mund ein … und plötzlich durchzuckte ihn ein stechender Schmerz. Sein Mund brannte. Panisch schlug er Willow ins Gesicht, doch als seine Hände ihre Haut berührten, griffen sie ins Leere.

Willow hatte sich aufgelöst. An ihrer Stelle schwebte ein helles, gleißendes Licht. Kurze Zeit hing es bewegungslos in der Luft, dann stürzte es wie ein Blitz durch Jacks geöffneten Mund in ihn hinein. Er glaubte, heißes Öl zu trinken, sein Körper brannte. Röchelnd brach er zusammen und stürzte auf Willows blauen Umhang, der sich langsam im Wind auflöste.

## Irrfahrt Willow

Nach einiger Zeit sah Willow verstört auf. Würde sie jetzt in Ruhe gelassen werden? Ihr gellender Schrei verhallte in den Weiten des Waldes. Taboor, Jack, ermordete Freunde und Familienmitglieder stürzten sich mit lautem Geschrei auf sie. Ihre grimmigen, von Zorn verzerrten Gesichter umringten sie. Willow sah ihre Eltern voller Hass. Kurz zeigten die Ungeheuer ihre wahre Gestalt.

Die hässlichen, langohrigen Fratzen der Kobolde.

## Irrfahrt Rachel

Rachel befand sich in vollkommener Dunkelheit. Es war ein Gefängnis, aus dem es kein Entrinnen gab. Sie flog in jede Richtung, aber nach wenigen Zentimetern prallte sie an einem unsichtbaren Hindernis ab. Verstört und erschöpft kauerte sie sich auf dem Boden der Finsternis zusammen. Völlig allein gelassen, ohne ihre Freunde. In solcher Trostlosigkeit erlosch sogar ihr Licht.

## *Gefunden*

Myth begann mit der Suche nach seinen Freunden. Laut rief er nach ihnen, aber er erhielt keine Antwort außer seinem eigenen Echo.

Dann raschelte es plötzlich hinter ihm im Gestrüpp. Der Pegasus erwartete einen seiner Freunde, aber er irrte sich. Ein Kentaur sprengte durch das Unterholz auf den Pfad, den Myth entlangschritt. Halb Mensch, halb Tier. Ein Mann mit Pferdeleib. Kurz standen sie sich still gegenüber. Sie musterten sich gegenseitig. Keiner von ihnen hatte den anderen erwartet.

Der Kentaur überragte Myth um einige Zentimeter und dem Pegasus war klar, dass er vor einem Fürsten stand. Er strahlte Stolz und Erhabenheit aus, sein Gesicht war von edlen, aber auch harten, vom Wetter gezeichneten Zügen. Dunkle Augen mit einem tiefgrünen Schimmer funkelten darin und offenbarten große Weisheit. Braunes, fast schwarzes Haar umspielte das Gesicht. Myths Blick glitt weiter über den nackten Oberkörper. Dort waren zahlreiche Narben zu sehen. Feste Muskelstränge zuckten unter der Haut. Der Pferdeleib war stattlich und edel. Sein kurzes, dunkles Fell glänzte im Zwielicht, umspielte die Glieder, die große Wendigkeit und Schnelligkeit verrieten. Auffällig war ein riesiger Bogen und ein Köcher mit glänzenden Pfeilen, die auf den Rücken geschnallt waren. Wehrlos war sein Gegenüber auf keinen Fall. Der Kentaur war ohne Zweifel ein Krieger. Ehrfürchtig verbeugten sich die sagenhaften Gestalten voreinander und der Kentaur erhob seine Stimme: »Ich, Sinc Mirandell Arir, Fürst des Dunklen Waldes und Führer der Kentauren, grüße dich. Seid willkommen, edler Flieger.«

Myth tat es ihm gleich und stellte sich ebenfalls vor. Dann fragte der Kentaur: »Myth, edles Wesen aus dem Reich des Lichtes, sucht Ihr jemanden? Können wir helfen?«

Er pfiff kurz, dann erschien ein Gefährte aus dem Unterholz. Ebenfalls ein Kentaur, ebenso gut bewaffnet, aber ohne Sincs Erhabenheit.

»Fürst, ich war mit drei Freunden unterwegs, als wir getrennt wurden. Ich glaube, es ist das Werk der Irrlichter.«

»Dann ist Eile geboten. Sie treiben ihre Opfer in den Wahnsinn, wenn man sie nicht rechtzeitig findet. Diejenigen, die wir zu spät fanden, hatten sich das Leben genommen oder waren verdurstet, da sie nicht mehr in die Wirklichkeit zurückkehren konnten. Wir helfen euch gern. Nach wem suchen wir?«

Nach einer kurzen Beschreibung der Freunde machte sich die kleine Gruppe auf die Suche.

Kurz darauf fanden sie, fast zufällig, die kleine Rachel. Sie wären an ihr vorbeigelaufen, hätten Sincs scharfe Augen nicht einen kleinen Schatten auf dem Waldboden erspäht. Myth rief nach ihr, die betrübt ins Leere starrte, dann schrie er laut: »Verschwinde, Irrlicht!«

Der Schleier des dunklen Gefängnisses zerbrach. Nach anfänglicher Verwirrung warf sich Rachel voller Freude ihrem Freund entgegen und drückte ihm einen Kuss auf die Nüstern. Ihr Licht flammte auf. Glücklich lernte sie die beiden Kentauren kennen und dankte auch ihnen. Anschließend setzten sie ihre Suche fort.

Wenige Meter weiter schlug ihnen das Geschrei von Kobolden entgegen. Man beschloss, diese lärmende Horde zu meiden und einen großen Bogen um sie zu machen, als Sinc erstarrte. Er lauschte angestrengt, dann hörte es auch Myth. Ein Wimmern. Ein leises Schluchzen drang an ihr Ohr. Schnell stürzten sie in die Richtung, aus der die Geräusche kamen, durch Gestrüpp und hohes Gras hindurch. Sie erreichten eine von Laub und Pfützen bedeckte Lichtung. Dort fiel eine Meute Kobolde über ihre Beute her.

Mit stampfenden Hufen sprengte die Gruppe im vollen Tempo vor. Schrill quiekend rissen die Kobolde ihre Köpfe herum, ließen schreiend von ihrem Opfer ab und flohen lärmend, wild protestierend in das Unterholz des Waldes.

Sinc kniete sich besorgt nieder. Ein zierlicher Körper lag vor ihm. Halb in einen blauen Umhang gehüllt, Blut und Dreck auf der weißen Haut. Es war ein Mädchen, jung, auf der Schwelle zur Frau. Sie war wunderschön.

Myth, der an seine Seite getreten war, sprach ihren Namen aus: »Willow …«

Der Klang ihres Namens prägte sich in Sincs Geist ein, leise wiederholte er ihn. Es bereitete ihm eine solche Wonne, dass sein Körper leicht erbebte. Solche Empfindungen hatte er schon lange nicht mehr gespürt. Zögernd griff er nach dem Mädchen. Ihr Anblick berührte ihn, wie sie elend in einer Pfütze lag. Ihre Kleidung zerfetzt, ihre Haut mit Schnitten übersät. Auf ihrer rechten Wange zeigte sich ein besonders tiefer Kratzer, dessen Blut sich mit den salzigen Tränen mischte, die sie zahlreich vergoss. Ihre Augen waren geöffnet, durchtränkt, aber ohne Klarheit. Apathisch blickte Willow geradeaus; nur ihr Schluchzen sagte ihm, dass sie lebte. Als er sie berührte, zuckte sie in seine Richtung und schrie ihn wie von Sinnen an. Nach diesem kurzen Anfall versuchte sie, sich vor ihm in Sicherheit zu bringen. Sie schloss ihre Augen und wandte sich schluchzend ab.

Myth hatte dies wie Sinc verwirrt verfolgt und versuchte, sie zu beruhigen: »Willow, keine Angst, ich bin es, Myth.«

Sie reagierte nicht, ihr Wimmern brach nicht ab. Dann sah Myth dicht um sie leuchtende Nebel schweben.

»Irrlichter! Verschwindet.«

Auf Myths Worte hin zerfielen sie und verschwanden. Allmählich beruhigte sich Willow, schließlich lag sie still.

Nun wagte Sinc einen erneuten Versuch. Vorsichtig griff er nach dem Mädchen und zog es aus der Pfütze. Auf trockener Fläche ließ er sie ausruhen und befreite sie vom gröbsten Schmutz. Ein Gefühl der Wärme durchflutete seinen Körper und voller Zärtlichkeit strich er Willow über das Gesicht. Zögernd bewegte sie sich unter seiner Berührung und öffnete ihre feuchten Augen. Als sich ihre Blicke trafen, war es, als würden sich zwei alte Freunde nach sehr langer Zeit wieder begegnen. Sie beide fanden in den Augen ihres Gegenübers so viel Verständnis, gekanntes Gefühl, dass sie beide von einem Eindruck des Wirklich-nach-Hause-Kommens durchströmt wurden.

Willow setzte sich erstaunt auf, streckte ihre Hand aus und wollte Sinc ebenfalls berühren, als Myth in ihre eigene, gerade erst entstandene und zugleich wieder zerbrechende Welt einbrach: »Willow, endlich habe ich dich gefunden. Ich habe mir solche Sorgen gemacht.«

Und damit drängte er sich in Willows Blickfeld und in ihre Gedanken. Das Gefühl der tiefen Verbundenheit mit dem fremden Wesen vor ihr zerbrach mit der Freude, die sie ausrief, um Myth und Rachel zu begrüßen.

Nachdem sich ihr Freudentaumel gelegt hatte, wandte sich Willow wieder dem Kentauren zu. Sie sah ihn fragend an und sein sonst so grimmiges, ernstes Gesicht schenkte ihr ein Lächeln. Sie beantwortete es auf dieselbe Weise und spürte wieder das Gefühl tiefer Geborgenheit und des Ankommens. Sie beide wagten nicht zu sprechen und sahen sich nur stumm an.

Myth brach, wie zuvor, das Schweigen: »Willow, nur keine Angst. Das ist Fürst Sinc Mirandell Arir, Gebieter des Dunklen Waldes und Führer der Kentauren. Er hat mir bei der Suche geholfen.«

Willow erzitterte leicht, als sie den Namen ihres Gegenübers vernahm. Sie wusste nicht, warum es sie so berührte.

»Danke, edler Flieger.«

Sinc lächelte dem Pegasus zu, etwas erstaunt über die freundschaftliche Vertrautheit, die er ihm gegenüber bereits an den Tag legte. Kannte er ihn nicht erst seit einer halben Stunde? Der Kentaur wandte sich wieder Willow zu.

»Mir genügt Sinc«, meinte er lachend.

Hinter seinem vom Wetter gezeichneten Gesicht offenbarte sich ihr ein anderes Wesen als der Kentaur; ein alter Freund, Vertrautheit, Vertrauen, so viel Gefühl. Ihr Gegenüber war ein edles und stattliches Wesen, ein König. Viel mehr als Ozeanus, viel mehr als alle Könige dieser Welt. Er war Kentaur und wieder nicht. Sein Körper zeigte ihr, dass er sich an andere Zeiten erinnerte, als er noch keine Hufe getragen hatte.

Langsam erhob er sich und zog Willow vorsichtig auf die Beine. Sie zitterte, schwankte und er griff rasch zu, bevor sie stürzen konnte. Sie lächelte dankbar, unbeholfen. Ihr fehlte die Kraft, sich allein aufrecht zu halten. Der erlebte Albtraum hatte ihr Schwäche gebracht. Auch ihre Wunden waren noch sichtbar, noch nicht verheilt. Nach einem kurzen Zögern umfing Sinc ihren zierlichen Körper, hielt sie in seinen Armen und trug sie sicher. Sie sträubte sich nicht; ihr fehlte die Kraft dazu. Sie spürte seine warmen Hände auf ihrem Leib, die Sicherheit, die er ihr schenkte, und schmiegte sich an seinen Menschenkörper. Sie legte ihren Kopf an seine Schulter und sah ihn an.

Er lächelte und sprach mit tiefer, hallender Stimme: »Gern würde ich Euch hier die Ruhe gewähren, die Ihr braucht, doch wir müssen weiter. Euer Gefährte ist noch verschollen. Wahrscheinlich halten die Irrlichter auch ihn in ihrer Wahnwelt gefangen.«

Willow nickte zustimmend, dankbar, dann sank sie in

einen kurzen, aus Schwäche geborenen Schlaf. Sinc hielt sie fest in seinen Armen, während er mit den anderen aufbrach, um Jack zu suchen.

Schließlich fanden sie ihn. Er lag bewusstlos neben dem kleinen Tümpel. Während Myth versuchte, mit seinem Ruf erneut das Irrlicht zu vertreiben, weckte Sinc die schlafende Willow sanft. Sie stürzte voller Sorge zu ihrem Freund. Kaum hatte sie Jack erreicht, erbrach sich dieser auf den feuchten Boden. Er spie ein zuckendes Licht aus, das zischend zwischen den Farnen verschwand. Stöhnend stand er auf und Willow nahm ihn in die Arme. Zitternd und geschwächt hielten sich beide gegenseitig aufrecht, dann löste sich das Mädchen aus seinen Armen, um Myth und Rachel ihren Freund begrüßen zu lassen. Gedankenverloren sah sie auf die spiegelnde Wasserfläche des Teiches hinab. Sie sah ihre Wunden, den Kratzer auf ihrer Wange. Zögernd strich sie mit ihren Fingern über die offene Verletzung, die sich daraufhin langsam schloss. Ihre Heilkräfte erwachten und heilten die Wunden an ihrem Körper. Dann tauchte Willow ihre Hände in das kühle Nass, es prickelte angenehm auf ihrer Haut, und begann, sich von Blut und Dreck zu reinigen. Nur teilweise zufrieden erhob sie sich wieder, ihr Kleid trug tiefe Schnitte, war von Blut und Dreck verunreinigt. Jack umfing sie und in seiner Umarmung spürte sie, wie der Traum, den sie in Sincs Armen erahnt hatte, leise zerbrach. Sinc war nur noch der Kentaur.

Dieser sprach in das entstandene Schweigen und lud die Gruppe in sein Lager ein, damit sie sich dort von den erlebten Strapazen erholen und zu neuen Kräften finden konnten. Die vier nahmen dankend an. Sinc zog Willow auf seinen Pferderücken, um sie zu tragen. Sie ließ sich auf ihm nieder und sah, wie Jack auf den anderen Kentauren kletterte. Dann machten sie sich auf den Weg ins Lager der Zentauren. Zur letzten Zuflucht.

# 29     Die letzte Zuflucht

Während sie durch die trostlose Waldlandschaft galoppierten, hörte Sinc erneut ein Schluchzen. Er wandte sich zu Willow um und sah, dass sie weinte.

»Mein Fräulein, warum weint Ihr? Ihr seid doch mit Euren Freunden wiedervereint«, sprach er sie im schnellen Lauf an.

Sie seufzte schwer, dann wischte sie über ihre feuchten Augen.

»War das, was vorhin mit mir geschehen ist, wirklich nur Täuschung, nur das Werk der Irrlichter? Sogar ihre Schläge konnten mich verletzen.«

»Keine Angst, Willow, die Schläge, die Ihr spürtet, waren die der Kobolde, die Gesichter, die Ihr saht, die Täuschungen der Irrlichter«, versuchte der Kentaur das Mädchen zu trösten.

Leise antwortete sie: »Ich kann diesen Albtraum nicht abschütteln. Es war so schrecklich, den Zorn meines toten Onkels, meiner verstorbenen Freunde, selbst meiner getöteten Eltern zu sehen.«

Sinc blickte zu ihr, dann fuhr er ihr zärtlich durch das Haar. Sie sah seine Zuneigung, lehnte sich an seinen Rücken, strich sanft mit ihren Fingern über seine Haut. Sinc verharrte kurz in ihrem Schweigen, dann sprach er erneut:

»Es tut mir leid. Ihr habt schon so vieles erleiden müssen. Die Irrlichter können uns auf erschreckende Weise quälen. Sie decken innere Albträume und Ängste auf, um sie in verstärkter Form auf ihre Opfer zu werfen. Je mehr ihr Opfer im Leben gelitten hat, desto mehr Angriffsfläche finden sie. Manchmal erschaffen sie auch neue Ängste, doch oft zeigen sie die Wahrheit. Und das ist das Schlimmste … Ich bin ihnen selbst einmal zum Opfer gefallen.«

»Was spielten sie Euch vor?«

»Sie zeigten mir jeden Todesmoment, den ich in meinem Leben miterleben musste. Das Sterben treuer Gefährten, Freunde … Dann zeigten sie mir dunkle Visionen, was weiter passieren könnte. Der Tod meiner Frau, meines Kindes, meines Gefolges. Den Fall Ayins. Den endgültigen Sieg Kankarios'.«

Willow zuckte zusammen. Warum schmerzte ihr die Tatsache, dass Sinc eine eigene Familie gegründet hatte mehr als der Gedanke, dass Kankarios schließlich gewinnen könnte? Dann verlor sie dieses Gefühl und dachte nicht mehr daran. Kurze Zeit blieb es still zwischen den beiden, nur das Zischen der vorbeisausenden Blätter war zu hören.

Dann erwiderte Willow: »Hoffentlich wird es nie dazu kommen.«

Sinc lachte.

»Nicht solange wir noch kämpfen können, wir Kentauren, Wächter über Kankarios.«

Während sein Lachen im Wald verhallte, bemerkte Willow auf seinem Rücken – fast vom Köcher verborgen – eine blutig aufgerissene Wunde.

»Ihr seid verletzt.«

Sinc nickte, dann antwortete er: »Ein kleiner Kratzer. Von der Klaue eines Kriegers, der kurz darauf starb. Keine Sorge. Wenn wir in meinem Lager sind, kann man dies in Minuten heilen.«

Willow legte ihre Hand auf die verletzte Haut, schickte ein Glühen hindurch und flüsterte lächelnd: »Bei mir geht das in Sekunden.«

Sinc spürte sofort die wohltuende Wirkung ihrer Kräfte. Die Wunde schloss sich. Der Kentaur bedankte sich, aber das Mädchen blieb unerwartet still. Der Fürst sah zurück und lächelte. Willow war eingeschlafen. Schweigend trug er sie tiefer in den Dunklen Wald hinein, zur letzten Zuflucht.

Schließlich erreichten sie das Lager. Es bestand aus hüttenähnlichen Unterständen, zwischen denen zahlreiche vierhufige Gestalten umherhuschten. Die Lichtung wurde durch den Schein rußender Fackeln erhellt und, als die Gruppe näher herangekommen war, kamen zwei Kentauren auf sie zugestürzt. Aus der Nähe erkannte Myth, dass es Frauen waren, die sich in gegerbtes Leder gehüllt hatten. Sinc umarmte beide, drückte der jüngeren einen Kuss auf die Wange und küsste die andere zärtlich und lange auf die Lippen.

Schließlich löste er sich von der Kentaurin und stellte sie beide als seine Frau Abendrose und seine Tochter Morgentau vor.

»Geliebte Gattin«, Sinc nannte ihr die Namen der Fremden. »Sie sind Wanderer, die auf dem Weg nach Nómai sind. Leider wurden sie von Irrlichtern aufgehalten, die sie zu trennen versuchten. Ich habe sie eingeladen, für heute Nacht unsere Gäste zu sein.«

»Willkommen im Lager der Zuflucht«, begrüßte sie Abendrose.

Dann schickte sie Myth mit Morgentau fort, damit sein gebrochener Flügel geheilt wurde. Während Sinc, seine Frau und Jack langsam ins Lager vordrangen und den Weg zur größten Hütte einschlugen, zog der Fürst Willow von seinem Rücken herunter und legte sie Abendrose in die Arme.

»Ihr Name ist Willow. Die Irrlichter haben sie fast in den Wahnsinn getrieben. Sie braucht Ruhe. Trage sie doch hinein.«

Abendrose nickte zustimmend und betrat den Unterstand. Jack sah ihr nach, wie sie im Dunkel verschwand. Nun wandte sich Sinc ihm zu und fragte ihn: »Wie geht es dir? Möchtest du dich ausruhen, bevor wir das Lagerfeuer entzünden und das Mahl eröffnen?«

Jack erwiderte: »Am liebsten wäre ich bei Willow.«

»Einverstanden. Gehe hinein. Ich muss mich nun um meine Leute kümmern. Ruhe dich aus. Ich werde euch rufen lassen, wenn das Essen bereitet ist.«

Mit diesen Worten galoppierte er davon und ließ einen müden Jack zurück. Dieser drehte sich herum und betrat den Unterstand. Hinter einer dünnen Wand entdeckte er schließlich Abendrose und Willow. Die Kentaurin hatte das schlafende Mädchen in ein Bett gelegt und saß wachend neben ihr.

»Ach, Jack, nun kann ich mich um dich kümmern. Sie schläft. Kann ich dir helfen? Brauchst du etwas?«

Jack lächelte sie an und erwiderte:

»Danke, ich brauche nichts. Ich möchte nur bei Willow bleiben.«

Abendrose nickte.

»Das ist in Ordnung. Ich lasse euch allein. Aber wecke sie nicht. Sie braucht Ruhe.«

Jack hüllte sich in ein Tierfell, das ihm Abendrose gegeben hatte, und setzte sich neben das Bett auf den erdigen Boden. Erschöpft lehnte er sich an den Holzrahmen und beobachtete Willow, die friedlich schlief. Ihr zierlicher Oberkörper senkte sich ruhig auf und nieder und aus ihrem leicht geöffneten Mund entwichen flüchtige Winde. Schließlich war er so müde, dass seine Augen fast von allein zufielen, und er kletterte ins Bett. Vorsichtig legte er sich neben Willow und sah sie weiterhin an. Gerade war er noch hundemüde gewesen, doch so nah neben ihr verflog seine Müdigkeit. Er stützte seinen Kopf auf den Ellenbogen und beobachtete, wie sie ruhig atmete. Er war froh, dass sie sich wiedergefunden hatten. Es war ein verrückter Tag gewesen. Als sein Blick auf Willows leicht geöffneten Mund fiel, musste er an ihren leidenschaftlichen, ja geradezu gierigen Kuss denken. Nein, er schüttelte den Kopf. Das war ja nicht Willow gewesen. Sondern ein Irrlicht. Myth hatte es ihm auf dem Weg ins Lager erklärt. Er selbst konnte es irgendwie immer noch nicht glauben. Es war so real gewesen. So echt.

Er seufzte frustriert. Er dachte an die nackte Haut, die er gesehen hatte, an ihre Fingernägel, die sich in seinen Rücken gruben, an ihre heißen Lippen, die seinen Mund suchten. All das sollte nur eine Täuschung gewesen sein?

Er setzte sich auf und raufte sich das Haar. Er spürte das Verlangen tief in sich und fragte sich, wie er sich Willow gegenüber noch normal verhalten sollte. Er wollte vielmehr dort weitermachen, wo sie aufgehört hatten. Er wollte sie küssen, sie in den Arm nehmen, sie ganz spüren.

Er musste lachen. Nicht sie, sondern er und das Irrlicht. Das war ein schräger Gedanke und doch half er ihm, das Geschehen von Willow zu trennen. Er sah sie wieder an, dann versprach er ihr flüsternd:

»Ich werde warten.« Auch wenn es mir sehr schwerfällt.

Er verlagerte leicht sein Gewicht und wollte sich zu ihr herunterbeugen, um ihr einen Kuss auf die Stirn zu drücken, als sie plötzlich mit einem Schrei auf den Lippen erwachte und ihn panisch anstarrte …

Willow lag auf dem Bett, ihre Hände und Füße waren gefesselt. Sie konnte sich nicht bewegen. Panik kroch in ihr hoch. Ein Schatten erschien über ihr. Willow öffnete den Mund zu einem Schrei, doch er blieb ihr im Halse stecken. Sie erkannte den Schatten. Es war Brutanios. In kompletter Kriegsmontur beugte er sich über sie und griff nach ihr. Sie versuchte, sich seinem Griff zu entwinden, doch seine Hände zerrissen ihr Kleid. Plötzlich wandelte sich das Bild und statt Brutanios war nun Ixion über ihr. Er grinste sie hämisch an und berührte unverfroren ihren Körper. Sie versuchte erneut, zu schreien, doch sie brachte immer noch keinen Ton heraus. Hilfe, bitte helft mir, schrie sie stumm, während ihr Tränen über das Gesicht liefen.

Ein erneuter Szenenwechsel. Ixion verschwand und stattdessen saß Jack neben ihr. Er lächelte sie an und Willow wandte sich ihm erleichtert zu. Nun war sie gerettet.

Doch sein freundliches Gesicht verwandelte sich in eine Teufelsfratze und auch er stürzte sich auf sie …

Mit einem Schrei auf den Lippen erwachte sie. Sie zuckte zusammen. Ihr Atem stockte. Mit ihren vom Schlaf getrübten Augen sah sie einen Schatten über sich. Sie keuchte. Sie hob abwehrend ihre Hände …

Erschrocken wich Jack zurück.

Er sah sie besorgt an, versuchte, sie zu beschwichtigen: »Willow, keine Angst. Ich bin es doch, Jack.«

Das war unnötig. Sie wusste, dass er es war. Gerade das machte ihr Angst. Sie sah die Bilder ihres Traumes, sah Jack sie bezwingen. Sie erinnerte sich an das Schauspiel der Irrlichter. Auch sie hatten ihr Jack als Ungeheuer gezeigt. Sie dachte daran, was Sinc ihr erzählt hatte. Dass die Irrlichter oft die Wahrheit offenbaren. War Jack gefährlich? War er gut und freundlich oder spielte er es nur vor?

»Willow, keine Angst. Wir sind im Lager der Kentauren – in Sicherheit«, sprach er weiter. Dann stockte er, als er sah, wie sie von ihm wegrutschte.

»Was hast du? Hattest du einen Albtraum?«

Er streckte seine Hand aus, zog sie aber wieder unverrichteter Dinge zurück. Willow saß zitternd und mit Tränen in den Augen auf der äußersten Kante des Bettes und hielt geradezu panisch die Decke fest, die sie sich um ihren Körper geschlungen hatte.

Einige Zeit sagten beide nichts, es war nur Willows schneller Atem zu hören, der sich nur langsam beruhigte. Schließlich wagte Jack einen neuen Versuch und fragte flüsternd:

»Willow, was ist los? Hast du Angst vor mir?«

An Willows Reaktion erkannte er, dass er offenbar ins Schwarze getroffen hatte. Sie vermied es, ihn anzuschauen und sah stattdessen zur Seite.

Jack seufzte. Er wusste nicht, wie er damit umgehen sollte. Er hatte doch nichts Schlimmes getan.

»Soll ich gehen?«, fragte er schließlich unsicher. »Soll ich Abendrose oder Rachel holen?«

Willow sah ihn überrascht an, dann schüttelte sie den Kopf und wischte sich mit einer Hand über die Augen.

Jack sah sie unsicher an und lächelte leicht. Er fragte:

»Also, soll ich bleiben?«

Willow musste lachen, dann nickte sie mit dem Kopf. Sie sah ihn dankbar an. Jack fasste daraufhin Mut und fragte weiter:

»Und, erzählst du mir jetzt, was los ist?«

Sie nickte erneut und fing an, zögernd zu erzählen.

Sie hatte einen Albtraum gehabt. Von Brutanios und Ixion, die sich an ihr vergingen. Sie machte eine Pause, dann sagte sie, dass auch er, Jack, sich schließlich auf sie gestürzt hätte. Sie sprach auch von den Irrlichtern, die ihr ebenfalls einen bösen Jack gezeigt hätten.

Jack gefror das Blut in den Adern, als sie von ihm als Ungeheuer sprach. Sah sie ihn so? Hatte sie sein Verlangen gespürt und glaubte sie, dass er sich irgendwann nicht mehr beherrschen konnte? Und vielleicht stimmte das sogar? Bei seinen früheren Frauen hatte er sich auch nicht immer ehrenhaft verhalten. Doch er hatte ihnen nie Gewalt angetan! Er war kein Brutanios, kein Ixion! Und trotzdem fühlte er sich schäbig.

Er tat sich schwer, auf ihre Ausführungen zu antworten. Schließlich begann er stockend:

»Willow, es tut mir wirklich leid, was dir passiert ist! Das mit Brutanios und Ixion. Die Irrlichter! Der Albtraum!«

Er verstummte kurz und sah zu ihr hoch. Sie sah ihn aufmerksam an, ihre Augen waren gerötet, tränten jedoch nicht mehr.

»Bitte, glaube mir! Ich werde dir nichts tun! Du brauchst keine Angst vor mir zu haben!«, gelobte er. Und in Gedanken fügte er folgenden Schwur hinzu: Das verspreche ich dir bei meinem Leben!

Kurz blieb es still zwischen ihnen, dann antwortete Willow:

»Danke dir!« Sie errötete leicht, dann rutschte sie auf Jack zu und ließ sich von ihm in die Arme nehmen. Er umfing sie vorsichtig und strich ihr sanft über den Rücken.

Er sprach weiter: »Willow, hier bist du sicher. Ruhe dich aus. Die letzten Tage waren einfach zu viel für dich.«

Willow fing trotz der gut gemeinten Worte erneut zu weinen an. Er wiegte sie sanft hin und her und streichelte sie besänftigend, bis ihre Tränen versiegten. Schließlich schlief sie erschöpft in seinen Armen ein.

# 30   Der verfluchte König

Sinc weckte Willow nach einer Stunde. Sie schlief dicht an der Bettkante und hatte sich im Schlaf von Jack weggedreht, der auch eingeschlafen war. Sinc sah sie lächelnd an und berührte sie zärtlich an der Schulter.

Sie erwachte dieses Mal ohne Schrecken und blickte dem Kentauren fragend entgegen. Sinc hatte sich gewaschen und roch nach frischen Kräutern. Sein Fell und sein Schweif waren gestriegelt und gekämmt worden, sodass sie im Mondlicht funkelten, das durch die löchrige Wand des Unterstandes fiel. Auf dem Kopf trug Sinc einen silbernen Kopfschmuck, der grüne Diamanten wie Blätter fasste. Das Zeichen des Fürsten des Dunklen Waldes. Seine dunklen Augen funkelten mit dem Schmuck auf seiner Stirn um die Wette. Sie waren braun, fast schwarz und kleine grüne Funken strahlten in ihnen. Willow war gebannt von diesem Anblick, spürte, wie ihr Herz schneller schlug und lächelte Sinc leicht an. Er lächelte zurück, ergriff ihre rechte Hand und drückte einen sanften Kuss darauf. Er sah, wie sie errötete und musste lachen. Er strich mit den Fingern durch ihr Haar und meinte schließlich: »Ich bin gekommen, um Euch zum Essen abzuholen. Ich hoffe, Ihr konntet Euch erholen und es geht Euch besser.«

Willow nickte und antwortete leise: »Dank Euch. Ja, ich fühle mich wieder besser. Wir kommen …«

Und damit weckte sie Jack. Dann verließen sie die

Schlafstätte. Wenige Meter entfernt war ein großer Platz. In seiner Mitte loderte ein riesiges Lagerfeuer, dessen Hitze und Helligkeit gegen die Kälte und Finsternis des Dunklen Waldes ankämpfte. Ringsherum hatten sich die Kentauren versammelt. Willow konnte knapp zwanzig schwer bewaffnete Krieger ausmachen. Dazwischen saßen einige Frauen – acht an der Zahl. Kinder sah sie keine. Sincs Tochter Morgentau, die neben einem jugendlichen Krieger saß, war die Jüngste. Das Leben war zu hart für reichliches Kinderglück. Der Fürst setzte sich neben seine Frau und die beiden Menschen folgten seinem Beispiel. Über dem Feuer wurde ein riesiges Tier gebraten. Da Willow es fragend beäugte, meinte Sinc lächelnd: »Normalerweise essen wir Kentauren kein Fleisch, sondern Pflanzen. Somit folgen wir den Begierden unseres Unterkörpers. Manchmal aber wird der Mensch in uns wach und wir sind gierig auf Fleisch. Das hier ist ein Smald. Ein großer Pflanzenfresser, der nur im Dunklen Wald lebt. Sie wohnen im Schatten der Bäume und sind schwer zu entdecken. Aber wenn man einen aufgestöbert hat, ist eine Mahlzeit sicher, da sie enorm langsam sind und sehr schlecht sehen können.«

Ein alter Kentaur trat an das Feuer heran und begann vom Smald Fleischstücke abzuschneiden. Diese wurden auf kleine Holzschüsseln verteilt, von denen wiederum jeder der Herumsitzenden eine erhielt. Schließlich hielt Willow auch ihre Schüssel in den Händen und blickte skeptisch auf das rotschwarze Fleisch darin. Vorsichtig biss sie hinein. Zögernd kaute sie, dann lächelte sie. Es schmeckte gar nicht übel. Sie biss erneut ab. Erst jetzt merkte sie, wie hungrig sie eigentlich war. Ihre letzte Mahlzeit lag über einen Tag zurück. Zum Fleisch wurden Holzkrüge gereicht, die eine wässrige, nach Kräutern riechende Flüssigkeit enthielten. Sinc warnte sie davor, viel davon zu trinken. Das Getränk konnte Ungeübten gefährlich werden, erklärte er mit einem Grinsen auf den Lippen. Willow beschloss, seinem Rat zu folgen, und nippte nur leicht daran. Die wenigen Tropfen, die ihre Kehle herunterrannen, brannten wie Feuer, und sie stellte den Krug weit weg. Sie war sehr dankbar, als Abendrose ihr ein Gefäß voll frischem Wasser reichte.

Nachdem Willow gegessen hatte, blickte sie ein wenig in der Runde herum. Genau gegenüber erkannte sie den Kentauren, der Jack getragen hatte und nun zwischen schon singenden Kameraden saß.

Dann beugte sich Sinc zu ihr und Jack herunter: »Was wollt Ihr eigentlich in Nómai?«

Willow erklärte ihm, dass sie auf der Suche nach dem Goldenen Hund waren.

Als Sinc dies vernahm, schüttelte er den Kopf. »Der Goldene Hund. Dies habe ich seit einer Ewigkeit nicht mehr gehört.«

»Was meint Ihr?«

»Vor langer Zeit, damals als Kankarios noch nicht Kankarios war, sondern Kankaros, ein Wesen in Menschengestalt, hörte ich davon. Kankaros kämpfte schon damals um die Herrschaft über Ayin. Schon damals hatte der Krieg begonnen. Zu dieser Zeit wurde der Ruf nach dem Goldenen Retter laut, dem Hund, der Ayin befreien sollte. Irgendwo aus Moran ertönte der Ruf und er verbreitete sich wie ein Lauffeuer. Aber Kankaros' Rache war schrecklich. Er schickte Krieger aus und tötete alle, die etwas von ihm wussten. Einige wurden sogar aus Ayin verjagt. Wohin wusste man nicht. Schließlich verstummten die Schreie und die Hoffnung starb … Erst zu diesem Moment griff ich ein … und verlor.«

»Ihr?«, fragten Willow und Jack wie aus einem Mund.

»Ich war nicht immer ein Kentaur.«

»Ihr wart kein …?«, erwiderte Willow stockend.

»Nein, ich war A…«

Willow unterbrach ihn zitternd, die Erkenntnis kam wie ein Hammerschlag: »Arir? Arir, der Kühne? Ihr seid dieser Arir? Der Erlöser Ayins?«

Sinc lächelte. »Ja, dieser war ich einst. Ein Retter, ein König. Bevor Kankaros mich und meine Gefährten verfluchte. Dabei setzte er sich selbst einem Fluch aus. Er wurde zu Stein. Somit wurde sein Feldzug unterbrochen. Erst vor wenigen Jahren konnte er dem Fluch entkommen und dort weitermachen, wo er aufgehört hatte. Erst dann wurde er zu Kankarios, zur Spinne.«

»Eure Gefährten?«, fragte Willow zögernd.

»Ja, Miral, meine Liebste, Sirair …«

»Der Alte Stamm?!«, stieß Willow aus, als sie diese Namen vernahm.

Sinc bemerkte ihre Erregung, ihre Verwirrung. »Ihr habt recht. Wir sind der Alte Stamm. Entstanden am Anbeginn der Zeit. Acht gute Geister erschaffen aus dem heiligen Atem der Einhörner. Jeder von uns sollte ein Land Ayins gestalten und beherrschen.

Meine wunderschöne, allerliebste Miral, die Königin

Morans, Mutter der Menschen, war die Weise. Sie besaß das Wissen unserer Zeit und verfügte über die Kunst des Hellsehens. Wir liebten uns einst ...«

Kurz verstummte Sinc. Ihm war anzusehen, dass ihn die Erinnerungen an damals gefangen hielten, ihm die Stimme nahmen. Er räusperte sich, um in seiner Erzählung fortzufahren: »Ein guter Freund war auch der erhabene Sirair, der Spiegel. Er herrschte über das Land der Schönheit. Es war damals eine so glückliche Zeit ...«

Willow streckte ihre Hand nach ihm aus und berührte ihn sanft am Arm.

Der Kentaur realisierte kurz ihre Berührung und sah sie dankend an. Ermutigt fuhr er fort: »Schara, der Eremit, war der König über das Land der Finsternis. Einst war es ein sonniges Land, das Land Nómai, in dem die Geschöpfe Scharas lebten. Sie waren Nomaden, die durch das sandige Land zogen, friedlich waren, nur wegen ihrer Reißzähne keine Menschen. Jetzt sind sie blutgierende Geschöpfe, die gefürchteten Vampire ...

Außerdem der etwas verdrehte Airmor, der Wandel. Er war der Herr über das Wasser und Vater der Nymphen. Er sang oft mit seinen Geschöpfen im Licht der untergehenden Sonne.

Ach, und der kindliche, verspielte Bigor, der Wanderer, der über das Riesengebirge verfügen konnte und doch nie seine Herrschaft ausüben wollte. Er zog es vor, mit seinen liebsten Kreaturen, den Drachen, durch die Luft zu jagen und die gewaltigen Riesen zu ärgern.

Mural, die Jüngste von uns. Sie verfügte über so eine kindliche Neugier, dass sie alles erforschen wollte. Vor allem liebte sie es, in der Erde nach Schätzen zu graben. So grub sie meist in Bergmannkluft zusammen mit ihren Geschöpfen, den Zwergen, in den Silberminen nach Reichtümern.«

Arir verstummte erneut. Willow sah ihm an, wie schwer der Verlust seiner Gefährten, seines früheren Lebens auf ihm lastete. Und gleichzeitig hatte sie den Eindruck, dass er schon sehr lange nicht mehr an diese verlorene Zeit gedacht hatte, dass sie so fern und fremd für ihn war, als hätte sie jemand anderes erlebt. Schließlich fuhr er fort:

»Ich war der Krieger. Ich herrschte über den Dunklen Wald und war der Vater der Kentauren, deren Körper ich nun trage. Doch einen habe ich noch nicht genannt. Es ist derjenige, der uns ins Verderben stürzte …«

Willow sah Arir erschrocken an. Sie glaubte nicht, was sie hörte.

»Sein Name war Moror. Ihm war das geborgene Land Ayins zugewiesen worden, nämlich die Höhlen der Zeit. Sie sind für die Bewohner Ayins unsichtbar, nicht erreichbar, denn dorthin haben sich die Einhörner, unsere Schöpfer, zurückgezogen. Moror sollte sie pflegen und ehren, sie beschützen und behüten. Doch Moror war neidisch; er wollte auch Lebewesen erschaffen und nicht nur ein Wächter sein, obwohl es die ehrenvollste Aufgabe überhaupt war. Schließlich verließ Moror Ayin und kehrte nie wieder zurück, wie wir dachten. Nein, wie hatten wir uns getäuscht. Nach vielen Jahrtausenden kam er wieder, aber nicht mehr in seiner eigentlichen Gestalt und unter anderem Namen. Er war zu Kankaros geworden, einem listigen Wesen, das nun zielstrebig begann, alle Völker um seinen Finger zu wickeln. Wir vom Alten Stamm, verblendet durch unsere Macht, bemerkten zu spät, welche Gefahr von ihm drohte. In einer verhängnisvollen Nacht verfluchte er uns, beraubte uns unserer Kräfte und verwandelte uns für ewig. Meine geliebte Miral wurde in den Körper einer Katze gesperrt, ihr habt sie in Morana gesehen.«

Willow und Jack sahen ihn fragend an.

»Sie war die Katze, die zu euch gesprochen hat. Das Orakel. Es war bloßes Glück, dass sie sich euch noch mitteilen konnte. Mit jedem Jahr vergisst sie mehr und sie kann nichts dagegen tun. Miral, die Weise, die das ganze Wissen unserer Zeit besaß, muss ihren Verstand im Kopf einer Katze tragen. Wenig später wäre das Wissen um den Goldenen Hund bestimmt für immer verloren gewesen. Und ihr hättet euch wohl nie auf diese Reise begeben …«

Willow sah Arir an. Sie war dankbar, dass sie den Orakelspruch erhalten hatte. Sie hatte zwar deswegen schon viel Leid erfahren, wahrscheinlich würde noch mehr davon auf sie warten, aber sie hatte Arir getroffen und hatte dies alles erfahren dürfen. Dieses Wissen, nach dem sie so dürstete. Er erwiderte ihren Blick und führte seine Erzählung zu Ende:

»Der Reihe nach traf es jeden von uns. Was aus Sirair, Mural und Bigor geworden ist, weiß ich nicht, aber Airmor, der König des Airms, wurde zum Fischmonster SorMor.«

Jack schluckte traurig.

»Schara wurde zu einem Vampir, gesperrt in das Schloss der Schatten, um auf ewig an der Gier des Blutes zu leiden und daran von innen aufgefressen zu werden. Zuletzt war ich, einstiger Herrscher über die Dämmerung, zu einem schwachen Kentauren geworden. Ich sage nicht, dass ich dieses Leben hasse. Ich liebe meine Frau und meine Tochter. Und mein anderes Leben ist wohl für immer verloren.«

»Doch wie gelang es Kankaros den Fluch zu brechen, der ihn traf als er euch das antat?«, fragte Willow.

»Ich weiß es nicht. Der Fluch, den er gegen uns aussprach, war unverzeihlich. Derjenige, der ihn ausspricht, stirbt teilweise. Er verändert einen für immer, nur das Böse bleibt bestehen, die Seele stirbt. Vielleicht hat ihn sein Hass erlöst. Kankaros hatte zuvor Schreckliches getan. Er hatte den Hass der Wesen Ayins untereinander geweckt. Andersartige wurden zu Feinden erklärt und verfolgt. Sie flohen in Scharas Land, der sie aufnahm und beschützte. Doch als er verflucht wurde, waren sie dort ebenso schutzlos und man verfolgte sie auch dort. All der angesammelte Hass und Gram veränderte sie schließlich. Das sonnige Reich wurde zum Land der Finsternis. Die Vertriebenen wirklich zu den Teufeln, für die man sie hielt. Es war eine Heldentat Kankaros', sie wurde gefeiert, obwohl er längst zu Stein erstarrt war. Doch sein geistiges Gift wirkte noch lange in den Köpfen der Ayiner nach. Man glaubte, durch die Vertreibung nach Nómai das restliche Ayin von allem Bösen reingewaschen zu haben, somit Ayin die Möglichkeit auf Frieden und Glück gegeben zu haben. Und viele Jahre sah es so aus.

Doch der einzige Böse war Kankaros gewesen. Er hatte den Hass der Völker auf friedliche Wesen geschürt. Auf Wesen, die ihm gefährlich werden hätten können. Lichtwesen, Zwerge, Menschen. Sie hatten nur irgendeine besondere Fähigkeit besessen, waren außerordentlich gut oder mutig gewesen. Metamorphorier, Magier, Krieger. All diese Wesen ließ er vertreiben und sie verwandelten sich durch den Hass, der sich auf sie entlud. Und Kankaros nährte sich davon. Die ganze Zeit, während er in seinem Steingefängnis ausharrte … Schließlich, als er genug Hass in sich aufgesogen hatte, zerbrach er den Fluch und verwandelte sich. Er wurde zu Kankarios, wie ihr ihn heute kennt. Mit seinen acht machtgierigen Klauen greift er nach Ayin. Wir Kentauren versuchen, ihn im Dunklen Wald festzuhalten und seine Krieger, böse Geister, die sich in Körper einnisten, zu besiegen, aber es ist nur noch eine Frage der Zeit, bis wir fallen und Kankarios ganz Ayin überrennt. Wir sind die letzten Hüter dieser Welt.«

Nachdem Arir geendet hatte, kamen Myth und Rachel zum Lagerfeuer. Fröhlich flog ihnen der Pegasus entgegen – ja, er flog! Sein gebrochener Flügel war geheilt worden. Willow umarmte ihn glücklich, während er sich neben Jack in den Kreis setzte. Rachel saß sehr stolz auf dem geheilten Flügel und meinte: »Ich habe mitgeholfen.«

Willow drehte sich dankend zu Arir um, der ihr verschmitzt zulächelte. »Das können wir noch besser.«

Er lachte. Fröhlich stimmte sie in sein Lachen ein, als aus den dunklen Tiefen der Nacht ein schreckliches Gebrüll erklang. Willow zuckte ängstlich zusammen, worauf Arir sie beruhigte: »Keine Angst, Willow, das war zwar ein Kankarios' Krieger, aber er ist noch zu weit weg, dass wir für heute diese dunkle Bedrohung, die mitten in der Dämmerung lauert, vergessen können. Denkt daran, wir sind im Lager der Zuflucht und heute wird gefeiert.«

Nach diesen Worten sprangen viele der rauen Krieger auf, stimmten ein schallendes Lied an und tanzten voller Vergnügen um das hell lodernde Feuer. Zuerst starrte Willow sie vom Boden aus verwundert an, dann riss Arir sie in die Höhe und sie vergaß im Taumel der Bewegung für kurze Zeit alle Sorgen.

# 31    Der gefallene Engel

Sie hatten bis kurz vor dem Morgengrauen gefeiert. Als die Sonne schon mit ersten Strahlen emporstieg, waren schließlich alle in ihre Hütten und Unterstände gegangen, um ihren Körpern den verdienten Schlaf zu gönnen. Für viele Krieger war es ein erholsamer und friedlicher Schlaf seit vielen Tagen, da sie, bevor sie die Fremden im Wald entdeckt hatten, von einem langwährenden Kampf gegen Kankarios auf dem Weg nach Hause gewesen waren. Der Kampf war sehr hart und verbittert gewesen, viele Kentauren waren verletzt worden, aber zum Glück waren alle lebend zurückgekommen. Aber sie hatten wieder einen kleinen Sieg gegen den starken Feind errungen, ein Waldgebiet, das zuvor von Kriegern besetzt gewesen war, konnte wieder befreit werden und weitere Versuche der Ungeheuer, aus dem Dunklen Wald in das restliche Ayin zu kommen, konnten vereitelt werden. Um die Mittagzeit weckte Abendrose Willow und Jack, die friedlich im Fellbett schliefen. Nun war es wieder so weit. Die Zeit des Abschieds war da.

Vor Arirs Hütte hatten sich die Kentauren um die Gefährten versammelt, die sich betrübt ansahen. Abendrose verabschiedete sich zuerst und reichte Willow einen großen Beutel.

»Ein wenig Proviant«, sagte sie lächelnd, dann trat sie zurück.

Hierauf war der Fürst an der Reihe. Er trat vor und

verabschiedete sich von Myth und Rachel, indem er sich vor ihnen verbeugte. Jack schüttelte er die Hand und klopfte ihm aufmunternd auf die Schulter. Schließlich stand er vor Willow. Sie blickte ihn traurig an, dann ging er in die Knie und schloss sie kurz in seine festen und muskulösen Arme. Über Willows Wange bahnte sich eine einzelne Träne, dann ließ der Fürst sie los. Sie spürten, dass es der falsche Moment war, aber dass etwas hätte sein können, wenn die Zeit passend gewesen wäre. Jetzt blieb ihnen nur der Abschied.

Der Kentaur verbeugte sich tief vor ihr und sprach: »Willow, ich bin sehr dankbar, Euch und Eure Gefährten getroffen zu haben. Gern würde ich Euch bei Eurem Vorhaben unterstützen, aber mein Fluch zwingt mich, auf ewig im Schatten zu bleiben. Ihr, Metamorphorier, seid unsere letzte Hoffnung. Erschaffen von Miral und Arir war es einst Eure Aufgabe, die Völker zu beschützen und somit die Aufgabe des Alten Stammes zu übernehmen. Möge Euer Vorhaben gelingen und ich hoffe, Euch einmal wiederzusehen, wenn der Schatten besiegt ist. Dann werdet Ihr mich erlösen können, verborgene Herrin.«

Darauf wandte er sich um und antwortete auch nicht mehr, als ihn Willow nach der Bedeutung des letzten Satzes fragte. Während alle zum Abschied mit den Hufen stampften, bestiegen Jack und Willow Myths Rücken und der Pegasus erhob sich geschmeidig in die Lüfte. Als sie bereits die Baumspitzen erreicht hatten, drehte sich Sinc herum und schrie hinauf: »Fliegt nach Süden in Richtung Fluss. Geratet nicht in die Mitte des Dunklen Waldes, dort lauert er – Kankarios.«

Sie hatten wirklich auf seinen Rat hören wollen. Sie waren der Meinung gewesen, ihn zu befolgen, aber plötzlich war vor ihnen unerwartet ein großer Schatten im Wald aufgetaucht. Nun waren sie zu nahe. Die Neugier zog sie unerbittlich näher. Ins Verderben hinein. Die dichten Nebelschwaden über den Baumspitzen rissen auf und sie sahen ihn – Kankarios.

Sein Anblick ließ ihre Herzen erstarren. Dunkle Schatten umkreisten ihn. Er starrte sie aus seinen zahlreichen blutroten, toten Augen an. Sein haariger Leib zuckte auf acht langen, baumstammdicken Beinen. Es war ein solches Durcheinander; überall zuckten Beine vor und zurück. Willow musste wegsehen, ihr wurde übel. Plötzlich zuckte eine Pranke hoch, Willow schrie noch eine Warnung, doch Myth wurde getroffen …

Willow versuchte, sich festzuhalten, doch ihre Finger rutschten ab. Sie fiel, während sich Myth herumwarf.

»Willow!«, schrie Jack.

Er versuchte, sie mit seinen Fingern zu erreichen, aber es war zu spät. Myth schlug mit den Flügeln, eilte zu ihr, aber sie fiel. Ein letztes Mal blickten ihre Augen Jack entgegen. Himmelblau, wie das Wasser eines Bergsees. Ihre Lippen flüsterten: »Verzeih mir.«

Dann stieß sie einen verzweifelten Schrei aus und durchbrach mit einem Knall die Baumkronen. Wie ein toter Schmetterling sank sie zu Boden und verschwand aus Jacks Blickfeld. Nach einem leiser werdenden Knacken und Krachen der Bäume war es totenstill. In der Ferne hörte man nur Kankarios' scharrende Krallen und klappernde Kiefer. Aber er war keine Bedrohung mehr, weit weg. Es war vorbei. Verstört sackte Myth zu Boden. Jack stieg mit zitternden Knien ab. Sie gingen weiter, folgten einer Spur abgebrochener Zweige.

Schließlich zwischen geknickten Ästen und herabgefallenen Blättern fanden sie Willow. Sie lag wie schlafend an eine Baumwurzel gelehnt und Jack lief zu ihr, in der Hoffnung, sie aus einem tiefen Schlaf erwecken zu können. So wie der Prinz sein Dornröschen. Aber es war kein Märchen und Jack brach neben ihr vor Schmerzen zusammen. Ihr Körper war eigenartig verdreht, alle Knochen in ihrem zierlichen, nun entstellten Körper gebrochen. Blut tropfte aus ihrer Nase und ihrem halb geöffneten Mund. Zitternd hob Jack die Hand und berührte zögernd Willows Lippen. Nie mehr würde er ihre Stimme hören und ihr Lächeln sehen, das sie ihm so oft geschenkt hatte. Er berührte ihre Augenlider. Nie würden sie sich wieder öffnen. Nie wieder würde er ihre wachen Augen sehen. Zitternd hob er seinen Kopf, Tränen flossen über seine Wangen und fielen auf Willows Körper. Vorsichtig und sehr sanft küsste er ihre Lippen. Er schmeckte Kälte, eine schreckliche Kälte, Blut und den Tod. Weinend presste er sein Gesicht an seine zu Fäusten geballten Hände, dann riss er seinen Kopf in die Höhe und stieß einen schrecklichen Schrei aus. Den Schrei der Verzweiflung, der im Dunklen Wald selbst in vielen Kilometer Entfernung von wachsamen Ohren vernommen wurde.

Auch Myth und Rachel kamen zur Unglücksstelle. Traurig ließen sie sich neben der Toten nieder. Der Pegasus stupste hoffnungsvoll Willows kalte Finger an, aber sie rührten sich nicht. Betrübt senkte Myth sein Haupt und eine gequälte Träne floss über seine Nüstern. Rachel setzte sich auf den leblosen Arm der Ayinerin und ihre Flügel hingen wie traurige Blätter, die der Herbst ereilte, herab. Jack saß nun vollkommen bewegungslos neben der Toten, nur seine Brust hob und senkte sich. Tränen kämpften sich aus seinen starrenden Augen. Er schien es nicht zu bemerken, auch nicht als die ersten Tränen über seine Wangen sein Kinn herabtropften. In ihm hatte sich eine lähmende Leere ausgebreitet. Jack nahm nichts mehr wahr, dachte nichts, fühlte nichts. Die Tatsache, dass Willow tot war, wirklich tot, hatte auch ihn sterben lassen. Die erneute Erfahrung, einen geliebten Menschen verlieren zu müssen, war zu hart für ihn. Beim Tod seiner Eltern hatte er noch Angst gehabt, war auch wütend gewesen, aber jetzt. Da war nichts mehr. Als wäre seine Seele gestorben.

Lange Zeit verharrten die drei neben ihrer Freundin – schweigend – unbewegt – jeder für sich. Plötzlich raschelte es im Gestrüpp hinter ihnen. Mit einem ausladenden Schritt stürzte Sinc durch das Unterholz, um schwer schnaufend vor der Gruppe zum Stehen zu kommen. Betrübt blickten Myth und Rachel auf, Jack reagierte nicht. Ihn hätte ein Krieger angreifen können, er hätte wohl nicht einmal aufgeschaut. Der Kentaur sah Willow und erstarrte. Dann stürzte er vor und wollte sie hochheben, aber Jack – aus seiner Starre erwacht – schnellte vor und schlug auf den vermeintlichen Feind ein. Sein einziger Gedanke war nur noch, Willow zu beschützen. Sinc rang kurz mit ihm, dann seufzte er traurig und verpasste ihm einen Schlag an die Schläfe, sodass er bewusstlos zusammensackte. Myth wollte auffahren, aber der Fürst brachte ihn mit einer Handbewegung zum Schweigen.

»Keine Angst, mein geflügelter Freund. Das musste leider sein. Er hätte mich nie an Willow herangelassen.«

»Aber was willst du mit ihr?«

»Sie heilen«, meinte Sinc, während er Jack auf seinen Rücken zog und Willow in den Armen trug.

»Sie ist doch tot!«, schrie Myth wie von Sinnen.

»Kommt. Bald werdet ihr alles verstehen. Wir müssen uns beeilen, diese Gegend ist nicht sicher.«

Mit diesen Worten wandte sich Sinc um und verschwand im Gestrüpp, so schnell und unsichtbar, wie er gekommen war. Myth und Rachel folgten ihm dicht auf den Fersen. Während sie durch den Wald jagten, stieß der Kentaur nacheinander unterschiedliche Pfeiffolgen aus. Anscheinend waren es Botschaften für sein Gefolge, denn als Sinc schließlich an einer Waldlichtung Halt machte, traf er in einem Kreis von Kentaurenkriegern seine Gattin Abendrose mit weiteren Frauen.

Jack sprang zugleich, wieder bei Bewusstsein, von Sincs Rücken und sah ihn fragend an. Während Arir das Mädchen seiner Frau in die Arme legte, erklärte er sein Handeln: »Für euch ist Willow tot. Zuerst habe ich es auch gedacht. Aber ihre Seele lebt immer noch in ihrem Körper. Ich weiß nicht, wie sie es gemacht hat. Ich habe von einer solchen Methode in schon längst vergangenen Zeiten gehört. Damals gab es Menschen, die ihre Seelen in ihrem toten Körper hielten und wieder lebendig wurden, wenn der Leib geheilt wurde. Dies ist anscheinend auch bei Willow geschehen. Sie hat ihre Seele – wahrscheinlich indem sie all ihre magischen Kräfte, ihre Kräfte als Metamorphorierin verbrauchte – tief in ihrem Innern schützend eingeschlossen. Sie lebt, obwohl ihr Körper gestorben ist.«

Sie lebt – diese Worte hallten lange in Jacks Kopf wider, bis sie schließlich verstanden wurden.

»Sie lebt …«, brachte er stockend heraus.

»Wann wacht sie wieder auf?«

Arir schüttelte traurig den Kopf.

»Jack, leider weiß ich nicht, wann sie wieder aufwacht. Wir können ihren Körper heilen, aber wir wissen nicht, ob sie dann wiedererwacht. Lasst es uns versuchen und hoffen.«

Abendrose trug Willow vorsichtig in eine geschützte Ecke der Lichtung, wo sie schon von den anderen weiblichen Kentauren erwartet wurde. Jack wollte ihr folgen, aber Sinc hielt ihn zurück, indem er ihm fast väterlich auf die Schulter klopfte.

»Lass die Frauen machen; die kennen sich in der Heilkunst aus. Uns bleibt nur noch Warten und Hoffen.«

Und so führte er ihn mit Myth und Rachel an ein rasch errichtetes Lagerfeuer.


Abendrose legte Willow auf eine Felldecke. Sie erschauderte, als ihr Blick auf die gebrochenen Gliedmaßen fiel. Viel hatte sie gesehen, viel Leid, viel Blut, viel Schmerz, aber noch niemals so etwas. Noch niemals einen völlig zerschmetterten Körper. Sie seufzte, dann gab sie sich einen Ruck und die Frauen begannen ihre mühsame Arbeit.

Eine kleinwüchsige Kentaurin trug eine Schüssel voll grauem Schlamm heran; eine andere schnitt Kräuter und Blumen hinein und vermengte alles zu einem geschmeidigen Brei. Währenddessen befreiten Abendrose und eine weitere Frau Willow vorsichtig von ihrem Kleid. Der einst so schöne Stoff war zerschlissen, fleckig von Dreck und Blut und an zahlreichen Stellen zerrissen. Hinter einem Sichtschutz aus Gewebe, der die Blicke der Männer fernhielt, entkleideten sie Willow vollständig. Anschließend banden sie ihr ein Leinentuch um den Unterleib und begannen, den Schlamm auf ihren Körper aufzutragen. Nach ungefähr zehn Minuten war das Mädchen vollständig bedeckt – sogar die Augenlider und die Lippen. Nun wickelten die Frauen weiße Leinentücher um die Schlammschicht. Zum Schluss lag Willow wie eine Mumie vor ihnen. Jack und Sinc hatten sie nicht mehr wiedererkannt, als sie von Abendrose herbeigeholt worden waren.

»Nun müssen wir warten, dass der Schlamm seine Wirkung tut«, meinte Abendrose müde, während sich die Dämmerung bereits herabsenkte.

Bald erhellte nur noch das kleine Lagerfeuer die Lichtung und die meisten legten sich schlafen. Nur eine einsame Wache, die am Waldrand auf und ab schritt, Sinc und Jack blieben schlaflos. Entkräftigt wälzte sich Jack auf seinem Lager, einer kleinen Decke, hin und her, bis er es nicht mehr ertrug und aufstand. Leise schlich er zu Willow, die immer noch wie in einem Kokon am Waldrand lag. Neben ihr fand er Sinc. Dieser saß betrübt neben ihr und machte ihm Platz, als er neben ihn rutschte. Nun hielten sie gemeinsam die Nachtwache für Willow, die hoffentlich keine Totenwache war.

# 32  Das achte Land

Am nächsten Morgen scheuchte Abendrose Sinc und Jack auf, die neben Willow eingeschlafen waren, und vertrieb sie.

»Wir brauchen Ruhe.«

Als die Frauen allein waren, lösten sie vorsichtig eine Leinenbinde, die sie um einen zersplitterten Oberarm gelegt hatten. Der getrocknete Schlamm bröckelte und gab den Blick auf geheiltes Fleisch und Knochen frei. Die Heilung hatte sich vollzogen; die Arbeit der Frauen war von Erfolg gekrönt. Nacheinander lösten sie die Tücher und entfernten den Dreck. Schließlich legten sie Willow in eine kleine Silberwanne und badeten sie in warmem Quellwasser, das mit angenehm duftenden Blüten und belebenden Kräutern angereichert war. Behutsam trockneten sie die junge Frau ab und kämmten ihr nasses Haar. Dann zogen sie ihr die gereinigte Unterwäsche an und kleideten sie in ein kurzes braungrünes Kleid. Es war aus robustem Material gefertigt und lag trotzdem weich auf der Haut. Zuletzt banden sie ihr die Sandalen und legten sie zurück auf die Felldecke.

Wie eine schlafende Prinzessin erschien Willow ihren Gefährten, als sie die junge Frau wiedersahen. Wie sie so vor ihnen lag, so friedlich, sogar mit einem leichten Lächeln auf den Lippen. Myth und Rachel ließen sich auf der einen Seite neben sie nieder, auf der anderen Jack und Fürst Sinc. Jack berührte vorsichtig Willows linke Hand, die wieder schön und wohlgeformt war, nicht mehr durch Brüche entstellt. Ihre Hand war warm, Jack konnte fühlen, wie das Blut durch ihre Adern pulsierte; es war wieder Leben in ihr. Er küsste zärtlich ihre Handfläche und bat Willow zu erwachen. Alle warteten darauf, dass sie ihre Augenlider hob und erwachte, aber sie blieb reglos. Schließlich, nach einiger Zeit, seufzte Sinc und schüttelte traurig den Kopf.

»Es ist eingetreten. Ich hatte gehofft, dass es uns erspart bleibt. Aber leider … Ich habe geglaubt, dass Willows Seele, wenn wir ihren Körper geheilt haben, zurückkehrt und ihren schützenden Panzer verlässt. Leider gelingt es ihr nicht, ihn zu sprengen und sich zu befreien. Sie ist in einem Samen gefangen, der erst aufkeimen muss. Aber um einen solchen Keim des Lebens erblühen zu lassen, bedarf es einer größeren Kraft als der Kentauren oder selbst des Alten Stammes. Hier können nur noch die Einhörner helfen – die Lebensadern Ayins.«

»Die Einhörner?«, fragte Jack verwundert.

»Ja, die Einhörner. Unser Ursprung. Ihr müsst noch in dieser Stunde aufbrechen. Fliegt ohne Pause, wenn es möglich ist. Wir haben nicht viel Zeit, um Willow zu retten, denn der Keim wird bald verdorren, wenn er nicht leben kann.«

Sinc beugte sich zu Willow hinunter und küsste sie auf die Stirn. Dann schenkte er ihr seinen silbernen Kopfschmuck mit den grünen Diamanten. Er flüsterte ihr zu: »Willow, Ihr habt es noch nicht erkannt, aber Ihr seid die Herrin. Unsere Herrin. Bald werdet Ihr wissen, was es bedeutet. Ich gebe Euch mein Zeichen, das in Wahrheit schon immer das Eure war.«

Das Schmuckstück funkelte auf.

»Herrin, möge Euch dieses Zeichen helfen zu leben und zu erwachen. All meine Kraft schenke ich Euch. Lebt! Findet Euren Weg. Und vergesst mich nicht.«

Dann erhob er sich und wickelte Willow in ein weiches Tierfell, während Jack auf Myths Rücken stieg. Arir legte ihm Willow in die Arme, dann eilte Abendrose herbei und brachte einen Proviantbeutel. Der andere war während des Unglücks verloren gegangen. Sinc verharrte kurz, während er auf Willow und Jack starrte, dann eilte er fort, um gleich wieder zurückzukehren. Er hatte drei Stricke dabei. Dünne, seidige Bänder, die aber stärker waren, als sie aussahen. So schnell würden sie nicht reißen. Einen dieser Stricke zog Sinc unter Willows Achseln hindurch und band ihn fest. Dasselbe wiederholte er bei Jack nur mit dem anderen Ende des Seiles. Jack, der kurz fragend sein Gesicht verzogen hatte, lächelte und lobte die Idee des Kentauren.

Ein weiteres Seil schlang Arir zugleich um Myths Hals, damit es Jack als Zügel diente. Mit dem letzten Strick befestigte Sinc den Proviantbeutel. Der Kentaur klopfte Jack aufmunternd auf die Schultern, nickte Rachel und Myth zu, dann schrie er: »Los, edler Flieger! Flieg so schnell, wie du noch nie geflogen bist. Von dir hängt nun alles ab. Fliegt zum Reich der Schönheit, dort in seinem Zentrum findet ihr den Zugang zu den Höhlen der Zeit. Dort wird sich Willows Schicksal entscheiden. Und auch meins.«

Gewandt erhob sich das geflügelte Pferd in die Lüfte, Jack winkte noch einmal, dann verschwanden der Fürst und seine Kentauren. Schließlich sah Jack nur noch die Baumspitzen, die langsam im grauen Nebel versanken.

Es war ein Kampf gegen die Zeit. Myth raste durch die Lüfte. Fort, fort, weiter, immer weiter. Schweiß überzog seinen ganzen Körper und sein Atem ging stoßartig, trotzdem verminderte er sein Tempo nicht. Bald trugen seine Flügel sie über die letzten Ausläufer des Dunklen Waldes hinweg. Die Wogen des Mair erschienen unter ihnen, dann flogen sie über Sirarin. Eine Stunde war vergangen. Die Sonne stand im Zenit, es war bereits Mittag.

Jack sah gegen Osten. Dort brannte Morana. Hinter ihren Mauern stiegen schwarze Rauchwolken auf. Bald würde ganz Moran fallen.

Jack rutschte auf Myths Rücken hin und her. Es war anstrengend, sich bei einer solchen Geschwindigkeit auf einen Pferdekörper zu halten, der sich wankend hin und her bewegte. Rachel, die anfangs noch mit Myth mitgeflogen war, hatte sich entkräftigt in Jacks Jackentasche zusammengerollt und schlief. Jack beneidete sie ein wenig. Sein Rücken sehnte sich nach Erholung. Wie gern würde er sich ausruhen, aber Willow war noch nicht gerettet. Er zog sie ein wenig höher, da sie allmählich heruntergesackt war. Er legte ihren Kopf auf seine Brust und umfasste ihren zierlichen Körper beschützend mit seinen Armen. Seine schweißnasse Rechte ergriff den Zügel und hielt ihn noch fester als zuvor. Jack ließ seinen Kopf auf ihren sinken, er roch ihr Haar, den zarten Weidenduft.

Still betrachtete er, wie sich ihre Brust hob und senkte. Er freute sich so sehr darüber. Dass sie einfach das einfachste und normalste der Welt tat – dass sie atmete, dass sie lebte. Ihr Körper lebte, zuckte durch seinen Kopf. Irgendwo in ihrem Inneren wartete sie. Willow, die er begehrte. Die er liebte?

»Willow, wir werden dich retten«, flüsterte er ihr ins Ohr.

Zärtlich drückte er einen Kuss auf ihre Schläfe. Er spürte ein Zittern in ihrem Körper. Zuerst ganz leicht, dann wurde es heftiger. Was geschah mit ihr? Ihre Glieder zuckten, ihr Körper glühte. Ein Fieber ergriff sie. War es das Fieber des Todes? Lief ihnen die Zeit davon?

Besorgt hielt Jack sie fest. Myths monotone Bewegungen, das gleichbleibende Rauschen des Windes in seinen Ohren, all die Sorge erschöpften ihn. Kurz warf er einen Blick nach unten. Unter ihnen lag ein Meer aus Farben. Sirarin. Unterschiedlichste Farben blitzen aus einem grünen Dschungel hervor: Rot, Blau, Gelb … Seine Augen schlossen sich.

Jack erwachte erst, als Myth auf dem Boden aufsetzte. Er brauchte einige Zeit, um sich wieder zu erinnern, wo er war, dann stieg er vorsichtig mit Willow im Arm vom schweißnassen Rücken des Pegasus. Rachel flog aus seiner Jackentasche und wandte sich besorgt dem geflügelten Pferd zu. Myth war in einem schrecklichen Zustand. Sein Atem überschlug sich, er zitterte, kalt vom nassen Schweiß. Mit einem Schnauben sackte er zu Boden. Jack wollte ihm helfen, aber Myth schüttelte nur den Kopf und deutete auf eine Höhle in dem Hügel gegenüber. Erst jetzt nahm Jack seine Umgebung wahr. Myth war am äußersten Ende des Blumenwaldes gelandet und vor ihnen lag ein kleiner, sanft grünender Hügel. Auf seinem Gipfel erhob sich ein Felsbrocken, in dem eine Öffnung in eine andere Welt führte. Sie hatten endlich die Höhlen der Zeit erreicht.

Jack machte einen Schritt auf den Eingang zu, griff Willow fester, dann rannte er los. Keuchend, mit ausholenden Schritten. Taumelnd stürzte er in den Schlund der Höhle. Dunkelheit. Und plötzlich …

Worte konnten kaum beschreiben, was sich dann ereignete. Für Jack war es wie ein Traum. Er fand sich an einem klaren Teich wieder. Schilf wiegte über dem Wasser, silberner Dunst erhob sich von heiliger Erde. Erschöpft legte Jack Willow auf ein Bett aus Farnen. Stockend setzte er sich in einiger Entfernung auf den Boden und löste das Seil von seiner Brust. Nun sollte sich Willows Schicksal erfüllen.

Jack wusste nicht, wie lange er dort im Dunst gesessen hatte. Ängstlich blickte er auf das Mädchen. Ihr Körper zitterte immer stärker, Schweiß stand auf ihrer Stirn, sie hatte Fieber. War ihr Ende gekommen? Er wollte zu ihr gehen, doch er wusste, dass es nun nicht mehr an ihm lag. Er hatte alles getan, was er tun konnte. Er hatte seinen Anteil erfüllt. Es gab jemanden anderen, der nun entschied. Über Leben und Tod.

Und er entschied sich für das Leben. Der Dunst löste sich auf und aus der silbrigen Wand schritten zwei ma-

jestätische Geschöpfe. Strahlend. Blütenweiß. Wunderschön. Die Einhörner.

Die Lebensadern Ayins. Der Anfang aller Dinge. Ihr
Horn glühte in einem silbernen Licht und die Wesen begannen zu singen. Ein klingender, singender Ton tanzte
durch die Luft und nahm Jack alle Sorge. Er wusste nun,
dass alles gut werden sollte. Die weißen Tiere umringten Willow und das größere der beiden blickte Jack mit
seinen blauen Augen an, dann berührte es das zitternde
Mädchen mit seinem Horn. Sofort verharrte Willow.
Ihr Körper glühte auf. Jack glaubte seinen Augen nicht,
denn es schien wahrlich eine leuchtende Blüte aus ihr
herauszuwachsen. Als sich der blaue Blütenkelch öffnete,
versank Jack in flutendem Licht. Alles drehte sich um
ihn. Er verlor den Halt.


Stille. Jack öffnete die Augen. Er war wieder auf dem
Hügel, den er vorher erklommen hatte, um die Höhle
zu erreichen. Der Eingang war verschwunden, der Felsen hatte sich in Luft aufgelöst. An seiner Stelle wuchs
nun ein kleiner Eichenhain, der ihn schützend umfing.
Fragend erhob sich Jack. Er sah neben sich. Dort lag …

Jack erstarrte. Er streckte seine Hand aus. Er musste
sie berühren, um es zu glauben. Neben ihm lag Willow.

Ganz ruhig. Ihr Zittern hatte aufgehört, ihr Körper
war wieder gesund. Dann – Jack hätte dafür sein Leben
gegeben – erwachte sie. Ihre Wimpern zuckten, zwei-,
dreimal, dann blickte Willow ihm entgegen, der sich
freudestrahlend über sie gebeugt hatte. Ihre Augen ließen Jack wieder versinken in das unendliche und ein-

malige Blau, in ein Paradies, in einen Himmel. Es war ein Blick des Wiederfindens und Neuentdeckens. Er sah sich selbst im Spiegel und begann zu weinen. Jack schluchzte und erste Tränen bannten sich einen Weg über seine Wangen, während sich die beiden immer noch stumm anblickten. Er ergriff Willows Hand, beide zitterten, dann zog er die junge Frau zu sich heran und umarmte sie stürmisch. Fast zu stürmisch, denn Willow stieß einen leisen Schmerzenslaut aus.

»Entschuldigung«, flüsterte er, während er sie festhielt.

Es war ein Wunder. Sie war erwacht! Vorsichtig und doch wieder fast zu stürmisch küsste er sie auf die Stirn. Dort fehlte Sincs Schmuckstück, doch Jack bemerkte es nicht. Er spürte nur seine Lippen auf ihrer sanften Haut. Schnell ließ er sie los und sie sackte wieder langsam zu Boden.

»Willow«, brachte er heraus, während Tränen über seine Wangen liefen.

Ungekannte Gefühle durchströmten ihn. War das Liebe?

Willow lächelte ihm entgegen, während sie sich vorsichtig aufsetzte. Sie ergriff seine Hände und hielt sie fest, streichelte seine zitternden Finger, die kalten Handflächen. Ihr Kopf näherte sich, ihre Lippen fanden seinen Mund.

Willow küsste Jack.

Ihre Lippen liebkosten die seinen, umarmten sie zärtlich und schenkten ihnen Wärme und Geborgenheit. Willow hielt Jacks Hände fester und zog ihn sachte zu sich heran. Ihre Lippen erbebten und sein Mund antwortete mit einem leichten Zittern. Willow schloss die Augen, als er den Kuss erwiderte. Ihr Herz schlug wild, sein Atem ging schnell. Er drückte sie fester, er wollte den Moment festhalten. Doch …

Zu schnell, zu abrupt löste sie sich von ihm und baute wieder die letzte Trennlinie, die letzte Mauer zwischen ihnen auf, die sie gerade begonnen hatten zu überschreiten.

Zitternd versuchte Willow aufzustehen. Jack half ihr und hielt sie fest, als sie unsicher auf ihren Beinen stand. Sie blickte um sich auf den Hain aus Eichen.

»Wo sind wir?«, fragte sie zögernd.

»In Sirarin. Wir waren bei den Einhörnern.«

»Bei den Einhörnern?«, entfuhr es ihr ungläubig.

Jack berichtete von ihrem Unfall, von ihrem Kampf mit dem Tod, von der Begegnung mit den Einhörnern.

Willow trocknete seine Wangen von den letzten Tränen, wobei sie antwortete: »Die Einhörner. Ich habe sie gespürt. Zuvor hatte ich nur den Schmerz und die Kälte gekannt. Ich war in Dunkelheit gefangen. Es war so kalt. Eine solche Kälte habe ich noch nie erfahren. Mein Leben und meine Erinnerung waren Kälte und ein unerträglicher Schmerz. Er erwachte zuzeiten, loderte in mir, verbrannte mich. Dann verebbte er so plötzlich, wie er gekommen war, und es gab für mich wieder Hoffnung. Aber immer wenn ich glaubte, die Kälte ertragen zu können, griff der Schmerz wieder an. Er war der Helfer der Kälte, er steigerte ihre Stärke um das Tausendfache. Plötzlich aber, als ich in Kälte und Schmerz qualvoll versank und zu ertrinken drohte, durchflutete Wärme meinen Geist, die Kälte schrie in mir und zerbrach …«

Willow stützte sich auf seine Schulter, Jack erwiderte: »Du standest auf der Schwelle des Todes. Danke, dass du noch einmal die Tür zugeschlagen hast.«

Die Ayinerin lachte, dann zuckte sie unter Schmerzen zusammen und wäre in die Knie gesackt, hätte sie sich nicht an Jack festgehalten. Besorgt umfing er sie mit einem Arm und stützte sie so noch zusätzlich.

»Hast du Schmerzen? Können dir deine Heilkräfte nicht helfen?«, fragte er sie sorgenvoll.

Sie drückte dankbar seine Hand und erwiderte: »Keine Angst. Es tut weh und meine Heilkräfte funktionieren nicht, aber ich lebe noch! Für jemanden, der sich gerade alle Knochen im Leib gebrochen hat, geht es mir ausgesprochen gut.«

Sie lachte, aber Jack erkannte, dass dies nur gespielt war. Eine weitere Schmerzenswelle durchzuckte sie. Trotzdem tat sie einen ersten Schritt und begann mit Jack durch die Baumreihen den Hügel hinunterzugehen, zurück zu Myth und Rachel. Willow brach nach wenigen Metern zusammen. Ihre Füße knickten ein und sie sackte zu Boden. Entkräftigt blieb sie liegen. Jack ergriff sie und hob sie auf seine Arme. Sie lächelte ihn an, als er sie weitertrug, dann wurde ihr schwarz vor den Augen und sie sackte in Bewusstlosigkeit.

Sie erwachte, noch bevor Jack die flache Ebene erreicht hatte. Er blieb auf Willows Geheiß stehen; die Freunde hatten sie entdeckt und stürmten auf sie zu. Willow rutschte aus Jacks Armen und ging ihnen die letzten Meter entgegen. Myth hatte sich von den Strapazen des wilden Fluges erholt. Laut wiehernd sprang er dem Mädchen entgegen, das ihn weinend umarmte. Rachel drückte Willow einen Kuss auf die Wange. Jack trat hinter Willow und stützte sie, da ihre Beine schon wieder zitterten und nachgeben wollten, was das Mädchen vor Freude nicht einmal zu bemerken schien. Sie wuschelte durch Myths Mähne, bis sie schließlich vor Schwäche in Jacks Arme sackte.

Dieser trug sie erneut und machte mit Blick auf die hereinbrechende Dämmerung folgenden Vorschlag: »Kommt, lasst uns ein geschütztes Nachtlager suchen. Der Tag neigt sich dem Ende zu und wir alle brauchen Ruhe und Schlaf.«

Rachel nickte zustimmend.

Myth wieherte und antwortete: »Lasst uns noch einige Meilen nach Norden fliegen, in Richtung Nómai. Dicht am Mair, geschützt zwischen Blumen, kenne ich eine Stelle, an der wir unser Nachtlager aufschlagen können. Sie ist sehr verborgen; Lichtmenschen kommen dort nur selten hin. Und somit hoffentlich auch keine Krieger.«

Der Pegasus erschauderte. Während des Fluges hatte er zahlreiche dunkle Schatten gesehen und leuchtende Körper vom Rot des Blutes entstellt. Sein Volk starb.

»Gut, Myth, wenn dich deine Flügel noch so weit tragen, lass es uns versuchen.«

Mit diesen Worten stieg Jack auf Myths Rücken, in den Armen die müde Willow. Kurz blickte sie ihn verwundert an, als er wieder das Seil festband, aber sogleich erkannte sie den Grund und schloss die Augen. Daraufhin erhob sich der Pegasus. Im Licht der roten untergehenden Sonne warf er einen langen Schatten, als er sich noch einmal kraftvoll in die Lüfte schwang.

# 33 Verliebt?

Es war bereits dunkel, als sie die Lichtung erreichten. Myth und Rachel legten sich neben einem zerfallenen Baumstumpf nieder und sackten schnell in einen tiefen Schlummer. Jack begab sich mit der schlafenden Willow einige Meter weiter zu einem kleinen Busch, der vor ungewollten Blicken schützte. Er legte das Mädchen auf den dicht mit Gras und Kräutern bewachsenen Boden, dann durchsuchte er den Proviantbeutel nach einer Decke. Er fand Willows Umhang. Abendrose hatte ihn fürsorglich eingepackt. Er lächelte dankbar. So brauchten sie heute Nacht nicht zu frieren. Eng legte er sich neben seine Gefährtin und breitete den Umhang über ihre durch die Kälte klammen Körper aus.

Jack schloss die Augen. Er war erschöpft, hoffte, dass der Schlaf schnell kam. Doch er kam nicht. Wiederum dachte er an Willow, die so nahe bei ihm schlief. Er hörte ihren Atem, spürte ihren Körper, der ihn leicht berührte. Der Kuss …

Endlich war es wirklich geschehen! Er konnte es immer noch nicht ganz glauben. Der Kuss war so sanft und zart gewesen und hatte ihn tief berührt. Er spürte, dass sein Verlangen stärker geworden war, und doch wollte er Willow auf keinen Fall bedrängen. Er würde weiterhin warten und ihr alle Zeit der Welt lassen – auch wenn ihm das jetzt noch schwerer fiel. Diese Zurückhaltung war für ihn ungewohnt, auch seine Gefühle kamen ihm so neu und anders vor. Er war aufgeregt, konnte nur noch an Willow denken und wollte sie am liebsten ständig ansehen. Er musste lachen – was war mit ihm los? So war es ihm bei seinen früheren Frauen nicht gegangen – da hatten ihn überwiegend Verlangen und Begehren gelenkt. Jack dachte an die Frauen, die er bereits gehabt hatte. Es waren viele gewesen. Von einigen wusste er nicht einmal mehr die Namen. Er dachte an Amanda zurück. Sie war seine erste gewesen. Sie hatte ihn lieben gelehrt … und wie man jemand abservierte. Sie war nämlich die Einzige gewesen, die ihn verlassen hatte. Sonst war er es, der ging. Er warb so lange, bis er das bekommen hatte, was er wollte. Eine Nacht … und dann verschwand er.

Warum bewegte ihn nun dieser eine Kuss so? Er berührte leicht seine Lippen und meinte noch, Willows Berührung darauf zu spüren, ihre sanften Lippen auf seinem Mund, ihren warmen Atem, der sich mit seinem vermischte. Er musste erneut lachen.

Er hatte sich in Willow verliebt! Er, der schon so viele Frauen gehabt und nicht mehr geglaubt hatte, jemals wieder lieben zu können. Er liebte Willow.

Er lachte erneut und setzte sich schließlich auf. Liebe – sie machte ihm Angst. Er, der seit dem Tod seiner Eltern nicht mehr zu Liebe fähig gewesen war, hatte sich verliebt. Er verbarg sein Gesicht in den Händen. Wie sollte er damit umgehen? Er wollte Willow nicht verlieren, gleichzeitig spürte er sein größer werdendes Verlangen. Er wollte Willow auf keinen Fall verletzen, er wollte nicht nur sein Begehren stillen, er wollte mehr …

Aber war er überhaupt dazu in der Lage? Würde er sie nicht auch fallen lassen, wie all die anderen Frauen, wenn sie sein Begehren gestillt hatte? Würde er wieder alles zerstören? Konnte er nur rauben und verletzen? War er ein Monster, wie die Irrlichter Willow gezeigt hatten?

Seine Hände tasteten nach ihr. Er sah zu ihr hinüber. Sie schlief ruhig. Ihre Haut war warm, ihr Haar weich. Seufzend zog sich Jack zurück. So durfte es nicht weitergehen. Wenn er sie immerzu berührte, wurde seine Gier nur noch größer. Es nährte nur das Monster in ihm …

Liebe? Waren die Gefühle, die er für Willow empfand, wirklich Liebe? Oder war es das Ungeheuer in ihm, das sich nur raffiniert maskierte? Viele seiner Frauen hatten ihm gesagt, dass sie ihn liebten. Oft hatte er die Worte »Ich liebe dich« in weibliche Ohren gehaucht. Doch sie waren bloß Mittel zum Zweck gewesen. Wusste er tatsächlich, was die Worte bedeuteten? Oder täuschte er sich gerade selbst, nur weil er nicht mit Brutanios und Ixion auf eine Stufe gestellt werden wollte?

Und neben der Begierde war auch noch die Angst. Die Angst, er könnte Willow verlieren. Er schenkte ihr seine Liebe und dann verließ sie ihn … So wie ihn seine Eltern damals verlassen hatten? Hatte ihn der Verlust seiner Eltern zerstört? Hatte er damals die Fähigkeit zu lieben verloren? Für immer?

Verzweifelt erhob er sich. Er ging einige Schritte, dann sah er in den klaren Sternenhimmel. Würde es ihm gelingen, wirklich zu lieben?

»Ich werde mein Besten geben. Ich werde …«, be-schwor Jack die Stille der Nacht. Er würde Willow lie-ben. Er schwor sich, sie nie zu verletzen.

Bekräftigt kehrte er zu Willow zurück. Er sah auf ihren schlafenden Körper. Alles schrie in ihm. Er musste sie berühren, küssen, besitzen. Doch … er riss sich zusam-men. Wenn er Willow wirklich lieben wollte, musste er warten. Er musste sein Verlangen zügeln. Wenn er sie wirklich liebte, war ihm ihr Wohlergehen wichtiger als seine bloße Befriedigung. Er seufzte schwer, als er sich neben Willow niederließ. Es war schwer, sie nicht zu berühren. Aber es musste sein …

Für Willow.

# 34 Wendepunkt

Als Jack erwachte, war es noch dunkel um ihn. Nur leichtes Licht schimmerte am östlichen Rand des Himmels. Bald würde die Sonne aufgehen. Er setzte sich auf und sah neben sich. Dort lag sie. Willow. Sie schlief noch. Seine Finger zuckten, er wollte sie berühren, doch er riss sich zusammen. Er musste stark sein.

Er gab sich einen Ruck. Rasch erhob er sich und griff nach dem Proviantbeutel, der in einiger Entfernung lag. Er setzte sich auf einen Baumstumpf und begann den Beutel zu durchsuchen.

Abendrose hatte ihnen Trockenfleisch, einige Früchte, Kräuter für Myth und einen Lederbeutel voll frischem Quellwasser eingepackt. Es musste die nächsten Tage reichen. Bis dahin sollten sie bei den Vampiren sein. Danach mussten sie weitersehen. Er beendete seine Forschungen und verschloss den Beutel mit zitternden Fingern. Ruhig blieb er sitzen und betrachtete den Himmel, der langsam vom Gold der aufgehenden Sonne überzogen wurde.

Willow öffnete ihre schlaftrunkenen Augen. Sie sah um sich und entdeckte Jack auf dem Baumstumpf sitzen. Er starrte in den Himmel, sein Gesichtsausdruck war angestrengt. Sie lächelte.

Leise stand sie auf und schlich zu ihm. Sie war so lautlos gewesen, dass er sie erst bemerkte, als sie direkt vor ihm stand. Sie lächelte ihn an und er erwiderte ihr Lächeln. Ihre Augen wanderten zu seinen Lippen. Sie spürte seinen heißen Mund. Seinen Atem, der über ihre Haut strich. Kurz trafen sich ihre Augen und sie erkannte, dass er an dasselbe dachte.

Zögernd streckte sie eine Hand aus und wollte Jack berühren. Doch er entzog sich ihr. Vorsichtig und unauffällig, doch es entging ihr nicht. Gekränkt zog sie ihre Hand zurück und sah Jack fragend an. Er wich ihrem Blick aus …

Bange Minuten vergingen. Schließlich gab er sich sichtlich einen Ruck und wandte sich ihr zu. Er zauberte ein Lächeln auf seine Lippen.

»Und wie geht es dir? Hast du gut geschlafen?«

Willow nahm dankend sein Entgegenkommen an. Sie antwortete mit einem Lächeln auf den Lippen: »Danke, mir geht es sehr gut. Ich habe keine Schmerzen mehr.«

»Sehr schön«, erwiderte Jack, dann erhob er sich.

»Was meinst du? Soll ich Myth und Rachel wecken? Ich habe Hunger und wir sollten bald aufbrechen. Die Vampire warten auf uns.«

Willow lachte, dann griff sie nach dem Proviantbeutel und verteilte das Essen, während Jack die schlafenden Freunde weckte. Der Pegasus hatte sich gut von den Strapazen erholt und auch Rachel wirkte heute wieder viel fröhlicher. Es ging bergauf.

Während sie ihr Frühstück beendeten und aufbrachen, schoss Jack eine Frage in den Sinn. Er fragte Willow, als sie gerade den Proviantbeutel verschnürte: »Die Einhörner haben doch Ayin erschaffen. Sie sind die höchsten

Geschöpfe dieser Welt. Warum können sie Kankarios nicht besiegen?«

Willow zuckte erschrocken zusammen, dann meinte sie traurig: »Die Einhörner sind friedliche Wesen. Sie kennen die Worte Hass und Krieg nicht. Nie könnten sie ihre Kräfte gegen jemanden, sei es auch noch das größte Ungeheuer, erheben. Ihre Kräfte sind um vieles stärker als die von Kankarios, aber sie sind nicht zum Kämpfen gemacht. Ihre Aufgabe ist zu heilen und Leben zu geben, nicht zu nehmen.«

»Aber Kankarios zerstört das Leben!«

»Die Einhörner haben uns diese Erde geschenkt mit all ihrer Liebe. Sie können uns mit ihren guten Kräften helfen, aber gegen die böse Macht sind sie machtlos. Nein, nicht weil sie schwach sind, sondern weil sie es einfach nicht kennen. Das Böse. Für sie ist alles gut und frei. Nur wir, Geschöpfe von Ayin, können gegen die dunkle Seite ankämpfen. Nur wir, die wir verdorben sind durch irdische Gefühle, wie Neid, Habsucht und Hass, können das Böse erkennen. Nur wir, die wir das Böse kennen, da wir es selbst in uns tragen. Die Einhörner sind zu gut für den Krieg.«

Jack nickte, dann bestiegen er und Willow den Rücken des Pegasus und die Gruppe machte sich erneut auf die Reise.

# 35   Land der Finsternis

Für die vier war es ein Schock, als sie den Mair überquerten und den Kampf von Licht und Schatten hinter sich ließen. Sie waren das frische Grün Sirarins so gewöhnt, dass ihnen die absolute Schwärze, der sie plötzlich gegenüberstanden, in den Augen wehtat. Sie schien wie ein Tier, das lauernd vor ihnen stand. Myth landete auf dem sandigen Boden, da ihm dunkle Schwaden aus Dunst und Nebel die Sicht raubten und es hoch in der Luft fast unerträglich kalt geworden war.

Dort standen sie nun und wussten nicht wohin. Jack betrachtete im Dunkeln die Umgebung, aber das, was er sah, schien ihn nicht gerade aufzuheitern. Auf dem sandigen und kargen Boden wuchs fast nichts, nur einige Pflanzen, die sich an die Dunkelheit gewöhnt hatten, und in der Ferne standen schief wenige verfallene Häuser aus Stein und daneben – zu ihrem größten Schrecken – Bäche, in denen Blut floss.

»Das hier macht mir Angst«, flüsterte Willow mit zitternder Stimme.

Jack stimmte ihr nickend zu und blickte weiter in die Finsternis, die nur wenig von Myths und Rachels hellem Schimmern durchbrochen wurde. Die Gruppe tapste weiter. In der Ferne heulten Wölfe, Fledermäuse flatterten über ihre Köpfe hinweg und Schatten schlichen dicht hinter ihnen. Die Anspannung und das Gefühl, beobachtet zu werden, wurden unerträglich. Willow rutschte näher an Jack heran und auch Myth und Rachel zogen den Kreis enger. Aber noch jemand verringerte den Abstand. Der Feind.

Nach einiger Zeit machten sie eine kurze Rast in den Ruinen eines zerstörten Hauses. Die Reise durch die Dunkelheit hatte sie alle müde gemacht. Seufzend ließen sie sich auf dem kalten Sand nieder. Willow rieb ihre Augen, die müde waren und schmerzten. Das angestrengte Blicken durch die Finsternis machte ihnen zu schaffen.

Jack verteilte Essen, dann aßen sie in Stille. Willow schob sich an Jack heran, suchte seine Nähe. Kurz zögerte sie, dann legte sie erschöpft ihren Kopf an seine Schulter und schmiegte sich eng an ihn. Sie merkte nicht, wie er innerlich einen kleinen Kampf ausfocht. Einerseits genoss er ihre Nähe und war sehr glücklich, andererseits war er wütend. So funktionierte das nicht mit dem Abstandhalten. Doch wie konnte er sonst erkennen, ob es Liebe oder nur Begehren war, das ihn antrieb? Er zermarterte sich das Gehirn, während er sich ein Stück Essen in den Mund schob. Er war dankbar um die Ablenkung, die Myth mit seiner Frage brachte.

»Was machen wir jetzt? Wer kann uns etwas über den Goldenen Hund sagen?«

»Die Vampire«, antwortete Jack.

Willow folgte der Unterhaltung nicht. Sie hatte zwar Myths Frage gehört, doch sie war zu müde, um daran zu erinnern, dass Sinc ihr geraten hatte, zu Lord Dragon, dem höchsten Vampir, zu gehen. So schwieg sie, kurz davor, einzunicken.

»Und wie finden wir welche?«, fragte der Pegasus weiter. »Uns hinlegen und warten, bis einer über uns stolpert?«

Jack wollte lachen, aber jemand kam ihm zuvor. Hinter ihnen aus den Schatten ertönte ein schallendes Gelächter. Erst kam es nur aus einer, dann breitete es sich aus und schien aus allen Richtungen gleichzeitig zu kommen. Und aus mehreren Mündern. Langsam verstummte es, dann traten acht Gestalten aus der Dunkelheit.

Die größte von ihnen sprach: »Menschlein, keine schlechte Idee! Denn wir haben euch gefunden.«

»Vampire«, flüsterte Willow aufgeschreckt und erstarrte.

»Ganz recht, Kleine«, erwiderte der Vampir. »Aber keine Angst. Wir werden vorsichtig sein.«

Mit diesen Worten entblößte er seine Reißzähne und seine Begleiter folgten seinem Beispiel zischend. Panisch blickte Jack um sich. Acht große Vampire begannen langsam, aber unbarmherzig die Schlinge zuzuziehen. Ihr Anführer haschte mit seinen Klauen nach Willow, die sich ängstlich in Jacks Armen rettete.

Myth schrie auf. Rachel stimmte mit ein und begann, sich dazu schnell im Kreis zu drehen. Jack und Willow blickten staunend auf. Bei den Vampiren hatte ihr Tun noch eine viel größere Wirkung. Sie erstarrten und rissen ihre Augen weit auf. In ihnen spiegelten sich Angst, Schrecken und eine zunehmende Panik. Myth und Rachel verstummten wieder, so plötzlich, wie sie begonnen hatten, und die ungewohnte Stille traf alle Anwesenden wie ein Schwerthieb. Es gab einen lauten Knall und beide erstrahlten in einem gleißenden Licht. Die Vampire schrien in großer Qual, versuchten zu fliehen …

Dann zerfielen sie zu Staub. Der Lichtstrom verebbte und die vier waren wieder allein.

Willow löste sich zögernd aus Jacks Armen und trat ihren Freunden entgegen. »Was war das?«

Der Pegasus lächelte, schaute zuerst Rachel an, dann antwortete er: »Ich bin froh, dass das funktioniert hat. Ihr beide müsst wissen, dass Vampire die Wesen des Lichts, überhaupt das Licht, verabscheuen. Licht tötet sie. Wir haben kurzfristig unsere Aura auf das Hundertfache erhöht, sodass sie schließlich so hell wie die Sonne war und die Wesen der Schatten verbrannt hat. Leider kostet es viel Kraft.«

Willow nickte und warf sich Myth dankend um den Hals. Jack hatte sich aus seiner Starre gelöst und sah sich um. Er war dankbar, dass die beiden dabei waren. Ohne sie wäre diese Begegnung sicherlich tödlich ausgegangen.

Kurz blieben sie stumm, dann meinte Willow: »Los, gehen wir weiter.«

Willow begann weiterzumarschieren, aber ihre Freunde verharrten auf der Stelle und Jack formte die Frage: »Wohin? Welche Vampire sollen wir fragen? Diese haben wir vernichtet.«

»Sinc sagte mir, wir sollten zu Lord Dragon gehen. Er ist der höchste Vampir.«

»Und wo finden wir ihn?«

»Er bewohnt eine gigantische Burg. Sie soll schon weit entfernt zu sehen sein …«

Plötzlich riss die Wolkendecke über ihnen auf und sie sahen zum ersten Mal den Vollmond. Er war durch ein

hässliches Gelb entstellt und schien sie grimmig anzu-
grinsen.

Willow erschauderte, dann deutete sie in die Ferne:
»Dort!«

Ihr zitternder Finger zeigte auf einen hohen Berg weit
im Westen. Hoch oben auf seinem Gipfel thronte eine
Festung. Ihre Türme bohrten sich wie Zacken in die
von Mondlicht durchflutete Nacht und raubten ihren
Betrachtern den Atem. Dieses Ungeheuer aus Stein und
Fels war die Schattenburg. Das Gefängnis von Schara,
dem einstigen Eremiten, der sich nun zum dunklen
Herrscher des Bösen erhoben hatte.

## 36    Verflucht

Es war viel Zeit vergangen, bis die Gruppe auf dem Gipfel des Berges und am Fuße der Burg angelangt war. Der Weg war weit gewesen und die Kälte hatte ihnen stark zugesetzt. Aber das allein war es nicht, das ihnen stark zu schaffen machte. Es war die Angst.

Je näher sie der Schattenburg kamen, desto stärker wurde sie. Jack wäre am liebsten umgekehrt und weit weg geflohen. Es war ein Gefühl, als würde eine zentnerschwere Last auf sein Herz drücken, die um jeden Meter, den sie sich weiterkämpften, größer wurde. Sein Körper zitterte, die feinen Haare in seinem Rücken stellten sich auf. Irgendeine Falle wartete auf sie in dieser Burg. Ein Leid, das sie noch nie erlebt hatten, ein unabwendbares Verderben. Alles rief in ihm: Lauf weg, solange du noch kannst.

Aber ein winziger Teil trieb ihn voran. Der Teil, der Willow liebte oder zu lieben glaubte, und ihr somit folgen musste. Und ein klein wenig Verstand, der ihm sagte, dass sie nur hier etwas über den Goldenen Hund erfahren konnten und dass ohne dieses Wissen Ayin verloren war. Jack schluckte schwer, als er seinen Kopf nach oben richtete und die Festung in ihrem vollen Ausmaß erblickte. Aber auch den anderen erging es nicht anders. Willow war still. In ihren Augen sah Jack ihre Angst. Ihre Miene war zu ernst, ihr ganzer Körper angespannt. Doch ihre Hände verrieten sie endgültig. Sie zitterten unkontrolliert und ballten sich immer wieder zu Fäusten. Myth scharrte nervös mit den Hufen. Und Rachels Flügel zitterten mehr, als sie es sonst taten.

Die Schattenburg erhob sich bedrohlich vor ihnen empor. Zuvor noch vom Mondlicht angestrahlt fiel sie nun in dunkle Schatten, als sich eine Wolke vor den Mond schob und ihn listig versteckte. Verzerrte Schatten liefen die Steinfassade hinunter, ergriffen die Freunde und verharrten. Das Geheul eines Wolfes erklang.

Schließlich gaben sich die vier einen Ruck. Langsam traten sie auf das große Eingangstor zu. Es bestand aus dickem Eichenholz, teilweise von Teer bedeckt. Und in seiner Mitte prangte ein silbernes Schloss. Dicht daneben war ein schwerer Türklopfer angebracht, in Form einer Fledermaus. Jack griff danach. Nach einem kurzen Moment des Zögerns klopfte er.

Nichts geschah. Stille. Dann einen Moment später. Ein Pochen. Pochen, das näherkam. Ein Schlüssel drehte sich im Schloss und es ertönte ein Klicken. Es knarrte und der Torflügel öffnete sich einen Spalt weit.

Ein Gnom stand vor ihnen mit einer Laterne in der Hand. Jack starrte ihn verwirrt an.

»Womit darf ich dienen?«, fragte eine tiefe, bebende Stimme.

Der kleine Mann war alt, tiefe Falten gruben sich in seine Haut. Ein Buckel entstellte den erbärmlichen Körper, der gekrümmt auf versteiften Gelenken stand.

Willow fasste sich. Sie antwortete mit zitternder Stimme: »Herr, wir sind von weit her gekommen, um die Hilfe von Lord Dragon zu erbitten. Wir benötigen sein ungeheures Wissen.«

»Mein Gebieter, Lord Dragon freut sich immer über Gäste. Tretet doch ein.«

Mit diesen Worten schob er die Tür weiter auf und bat sie herein. Die beiden Menschen hatten gerade die Türschwelle überschritten und Myth und Rachel wollten ihnen folgen, als das Männchen voller Wucht das Tor zuschlug. Jack und Willow drehten sich verstört herum, wobei er nur erwiderte: »Die zwei bleiben draußen. Mein Herr mag kein Licht.«

Sie saßen in der Falle, ging es durch Jacks Kopf. Sie hatten nun keinerlei Schutz vor hungrigen Fängen. Willow blickte ihn ängstlich an und ergriff seine Hand. Diesmal störte es ihn nicht. Sie hatten größere Probleme als ein mögliches Ungeheuer in ihm.

Der kleine Mann war vorausgeeilt und lief eine Treppe empor, als er sich verärgert herumdrehte.

»Los, los, mein Herr wartet nicht gern.«

Die nächste halbe Stunde irrten sie durch Korridore, immer versucht, den eilenden Schritten ihres Führers zu folgen.

Plötzlich hörten sie das Geräusch unzähliger Flügelschläge. Dann war der Raum von hunderten Fledermäusen erfüllt. Jack drehte sich in einer raschen Bewegung herum und warf sich mit ausgebreiteten Armen auf Willow. Sie landeten beide hart auf dem Boden und Willow verzog schmerzvoll das Gesicht, blieb aber liegen. Jack lag schützend über ihr und zog selbst den Kopf ein, um den Fledermäusen keine Angriffsstelle zu bieten. Diese fegten keifend über sie hinweg, stießen auf sie herab und verbissen sich in Jacks Lederjacke. Wütend zogen sie weiter, fanden seine Hosenbeine und verbissen sich darin. Entsetzt schlug er aus und vertrieb die Biester schließlich. Der Schwarm flog weiter, umkreiste kurz den Zwerg, ohne ihn anzugreifen, dann verschwanden sie. Anscheinend waren sie einzig und allein für die beiden Gäste gedacht gewesen, sozusagen als Begrüßungskomitee.

Willow bewegte sich langsam unter ihm. Jack drehte sich zu ihr um und setzte sich rasch auf. Er blickte ihr besorgt entgegen und wollte ihr aufhelfen, unterbrach aber sein Vorhaben, als sie unter seiner Berührung das Gesicht schmerzlich verzog.

»Entschuldigung. Habe ich dir wehgetan?«, fragte er, während sie sich aus eigener Kraft aufsetzte.

Willow lächelte, hielt sich den Kopf und antwortete: »Es geht mir gut. Und dir?«

Jack sah auf seine Hosenbeine hinab. Die Hose war durchlöchert und die Haut darunter blutete leicht von den Bissen der wütenden Mäuler. Willow musste lachen, als sie die Löcher sah, und fragte: »Tut es sehr weh?«

»Nein. Die Bisse sind nicht tief.«

Trotzdem legte Willow ihre Hand auf und versuchte, die Wunden zu heilen, aber ihre Heilkräfte ließen sie nach wie vor im Stich. Jack fuhr ihr vorsichtig mit den Fingern durch die Haare und tastete ihren Hinterkopf ab. Er zuckte zusammen, als er eine Beule unter seinen Fingerkuppen spürte.

»Das tut mir leid. Ich wollte dir nicht wehtun.«

Das sollte nie geschehen.

Willow schüttelte den Kopf.

»Es ist nicht schlimm. Danke, dass du mich beschützt hast.«

Sie lächelte und nach einem kurzen Zögern drückte sie einen sanften Kuss auf seine Schläfe.

Jack wirkte perplex und wollte sie im Gegenzug küssen, doch er hielt sich zurück. Er sollte noch warten. Er musste warten. Es war besser so.

Er stand rasch auf und zog Willow in die Höhe.

»Komm. Gehen wir weiter. Der Gnom ist weitergegangen.«

Und wirklich – die beiden standen in vollkommener Dunkelheit und weit vor ihnen tanzte der Schein der Lampe.

Sie schlossen im Laufschritt zu ihrem Führer auf, der sie jedoch keines Blickes würdigte. Sie gingen weiter durch unbeleuchtete Gänge, die nach Moder stanken. Manchmal durchquerten sie auch Korridore, in denen rußige Fackeln brannten, und sie konnten einige Gemälde erkennen, die schwer von Staub bedeckt an der Wand hingen. Sie zeigten das einstige Nómai, das friedliche Wüstenland, und die anderen Länder Ayins. Sie waren Zeugen einer glücklicheren Zeit.

Dann führte sie der kleine Mann in einen großen Saal. Er war dunkel, wie alles in der Burg, vollgestopft mit Bücherregalen, die um die Wände herumstanden. Auf der ihnen gegenüberliegenden Seite war ein großes Fenster, das einen Blick auf das ganze Land ermöglichte. Vor dieser Glasscheibe stand ein riesiger Thron und dieser drehte sich genau in diesem Moment herum, als der Diener die Tür schloss und verkündete: »Herr, wir haben Gäste.«

Jack und Willow erstarrten, als sie die Person erblickten, die auf dem Thron saß. Es war der einstige Schara, der verflucht zum Dasein eines Vampirs – Lord Dragon – geworden war. Seine einst von der Sonne des Landes Nómai gebräunte Haut hatte das gelbliche Weiß des Mondes, der draußen leuchtete, angenommen, entstellt von tiefen Furchen. Scharas Augen hatten zwar nichts von ihrer Stärke verloren, aber nun spiegelte sich in ihnen auch eine Art Wahnsinn wider, der die Gäste erschaudern ließ. Der Lord hatte sein Maul bis zur Hälfte aufgerissen, sodass seine Reißzähne sichtbar aufblitzten. Sie waren so lang wie Kinderfinger und in frisches Blut getränkt. Dieses lief in Schlieren das spitze Kinn herab. Zuerst leicht vorübergebeugt richtete sich der Vampir langsam auf. Jack konnte unter dem schwarzen langen Mantel, den er trug, eine braune Kutte entdecken – wohl seine einstige Kleidung als Eremit. Seine ehemals schönen Hände waren zu Klauen entstellt, die sich, noch vor Kurzem zusammengekrampft, öffneten und ein kleines Etwas zu Boden plumpsen ließen. Es war ein junges Lichtkind, das sich wohl durch die Neugier von Kindern getrieben in das dunkle Land gewagt hatte. Seine spitzen Ohren ragten wie Mahnmale in die Höhe und auch seine Haut war von krankhaftem Weiß befallen. In seinem kleinen, so zierlichen Hals bohrten sich zwei blutige Löcher. Willow würgte und klammerte sich fest an Jacks Hand. Ihr Schrei verebbte in der Höhe des Raumes, als sie zwei große Schatten hinter dem Thron auf dem Boden liegen sah. Es waren zwei erwachsene Lichtmenschen, die Eltern des Kindes, und beide trugen die tödlichen Geschenke des Vampirs: zwei kleine Bisswunden.

# 37 Der Judaskuss

Edward, räum bitte die Reste weg. Es gehört sich nicht, dass Essen noch herumliegt, wenn wir Gäste haben«, wies der Vampir seinen Diener an, der sich zugleich daran machte, die drei toten Leiber auf seine kleinen Schultern zu hieven.

Während Edward schlürfend mit seiner Last das Zimmer verließ, wandte sich Lord Dragon ihnen zu. Mit eisigem Blick starrte er Willow in die Augen, die sich darauf zitternd abwandte.

»Nun, meine Gäste, Sie haben meine Hilfe erbeten. Wie kann ich helfen?«, fragte er, während er seine Zähne leckte.

Es brauchte lange, bis Willow ihre Stimme wiederfand. Kurz suchte sie Jacks Blick, dann sprach sie: »Lord Dragon, wir sind von weit her gekommen, um Euch um eine wichtige Information zu bitten. Ein Wissen, das für ganz Ayin wichtig ist, das Ayin retten könnte. Was könnt Ihr uns über den Goldenen Hund sagen?«

»Der Goldene Hund? Schon lange habe ich diesen Namen nicht mehr gehört. Warum möchtet ihr etwas darüber wissen?«

»Herr, er soll Kankarios besiegen können.«

»Und warum sollte ich euch helfen?«

Willows Stimme wurde flehend: »Auch Ihr wurdet von Kankarios verflucht. So könntet Ihr Genugtuung erlangen und vielleicht erlöst werden.«

Ihr Gegenüber lachte. »Ich und verflucht? Ein Witz. Mir gefällt mein Dasein, so wie es ist. Aber ihr habt mich neugierig gemacht. Was wisst ihr über meine Vergangenheit, mein früheres Leben?«

»Wir wissen, was Kankarios Euch und dem Alten Stamm angetan hat.«

»Der Alte Stamm … Woher wisst ihr davon?«

»Werdet Ihr uns sagen, was Ihr über den Goldenen Hund wisst?«

»Meinetwegen, wenn es euch so wichtig ist«, der Vampir lachte. »Treffen wir eine Vereinbarung. Ich sage euch alles, was es über den Goldenen Hund zu wissen gibt, und ihr sagt mir, was ihr über den Alten Stamm wisst.«

Jack glaubte seinen Ohren kaum, als er dies hörte. Es war alles zu leicht gegangen und roch verdächtig nach einer Falle. Aber der Schwarzbemäntelte erhob sich tatsächlich und trat zu den Regalen. Kurz fuhr er mit seinen Klauen über vergilbte Buchrücken, dann zog er ein schweres Buch heraus.

»Mal sehen …«

Der Vampir setzte sich zurück auf seinen Sessel, und Edward, der wieder zurückgekommen war, schob einen großen Tisch und zwei kleine Hocker heran, auf die sich die Gäste verängstigt setzten. Lord Dragon legte das Buch auf der alten Tischplatte ab und begann zu blättern …

Zeit verstrich …

Ihre Unruhe stieg …

Schließlich stoppte der Vampir. Seine Klaue zeigte auf einen kleinen Eintrag, in einer fremden Sprache geschrieben. Mit tiefer Stimme übersetzte er: »Einmal wird eine Zeit kommen, in der ganz Ayin voller Qual und Leid aufschreien und untergehen wird, ward nicht ein Retter geboren. Ein Retter, verborgen im Schatten, geboren von einfachen Wesen, wird nur von einer reinen Seele gefunden werden. Nur eine Träne voll Liebe, um ihn in Trauer vergossen, wird ihn offenbaren. Suchet ihn dort, wo man das Gold der Menschheit findet.«

Der Vampir lächelte. »Das war alles. Sehr interessant. Das Gold der Menschheit. Nun ja, das wissen wohl die Zwerge.«

Mit diesen Worten klappte er das Buch zu und ließ es von Edward wegräumen. Jack blickte zu Willow hinüber und sie wirkte genauso verwirrt wie er. War das alles? Sie beide hatten erwarten, dass die Vampire die Lösung wussten, doch nun wurden sie einfach wieder weitergeschickt. Das war eine wahre Schnitzeljagd. Jack verdrehte genervt die Augen, dann dachte er über die vorgetragenen Worte und deren Deutung Lord Dragons nach. War die Sache so einfach? Der Goldene Hund befand sich irgendwo in den Silberminen? Jack fragte Willow leise danach, doch sie zuckte lediglich mit den Schultern, dann drehten sie sich wieder zu Lord Dragon.

»Nun, ich habe den Teil der Abmachung erfüllt, ihr seid dran.«

Willow schluckte, dann begann sie zu erzählen. Aber mitten in der Erzählung stoppte sie und erntete somit einen wutentbrannten Blick des Grafen.

»Herr, könnten wir das Gespräch nicht draußen fortführen?«

»Daher weht der Wind. Ihr habt Angst, dass ich euch verraten könnte und aussauge wie die Lichtmenschen. Keine Furcht, mein Kind. Euer Misstrauen kränkt mich sehr. Ich schwöre bei meiner Seele, dass euch nichts passieren wird.«

Nachdem Willow mit ihrer Erzählung geendet hatte, erhob sich der Vampir und seine Gäste taten es ihm gleich.

»Edward, räum bitte auf«, sprach er, während er sich langsam Willow näherte. Diese erstarrte und blickte ihm voller Angst entgegen.

»Keine Angst, Kindchen. Ich bin nicht böse, wie du glaubst. Die Bewohner Ayins versuchten, mit uns ihre schlechten Seiten der Seele wegzusperren, aber sie haben sich getäuscht. Nur die Vereinigung von Gut und Böse, die Auflösung dieser Einteilung, kann die Menschen, ganz Ayin glücklich machen – und so auch dich, verfluchte Willow.«

Er küsste sie. Seine kalten, blutlosen Lippen spielten mit ihrem Hals. Sie wollte fliehen, aber seine Krallen hielten sie fest. Er bleckte seine Reißzähne, ritzte ihre weiche Haut. Jack wollte ihr zur Hilfe eilen, aber er war wie erstarrt. Der Vampir riss Willows Kopf herum, setzte seine Zähne an ihren Hals und …

Jack wurde schwarz vor Augen. Er brach zusammen. Neben ihm schrie seine Gefährtin, dann verlor er den Boden unter den Füßen und fiel.

# 38    Ungeahnte Kräfte

Ich habe keine Seele.«

Diese Worte geisterten durch Jacks Kopf. Sie waren das Letzte gewesen, was der Vampir zu Willow gesagt hatte, dann hatte er sie gebissen. Nein, Willow! Jack drehte sich herum. Er lag in vollkommener Dunkelheit, wo wusste er nicht. Vorsichtig begann er zu tasten. Er lag auf einem kalten Steinboden. Neben ihm war eine Wand. Wahrscheinlich war er in einem Kerker. Oder in einem Grab?

Unbeholfen suchte er weiter und fand schließlich einen Fuß. Er war weich, kalt, zierlich – ein Mädchenfuß.

»Willow!«, rief er.

Schnell tastete er weiter. Es war ihr Kleid, ihr Gesicht. Vorsichtig richtete er sie auf. Hoffentlich trug er keine Leiche. Zu seiner Erleichterung wurde sein Flehen erhört, denn sie erwachte, kurz nachdem er sie berührt hatte.

»Jack?«, flüsterte sie ängstlich in die Dunkelheit und streckte ihre Hand suchend aus.

Er ergriff sie und drückte sie leicht.

»Hier bin ich. Keine Angst.«

Dann suchte er ihren Hals und tastete ihn vorsichtig ab. Willow zitterte unter der Berührung, ließ es aber geschehen. Schließlich fand Jack die Stelle, wo der Vampir angesetzt hatte. Verwundert erstarrte er. Er spürte zwar zwei kleine blutige Kratzer, aber die befürchteten Male fand er nicht.

»Er hat dich nicht gebissen?«

»Nein. Er hat nur mit uns gespielt, um sich an unserer Angst zu weiden. Während dich sein Diener niederschlug, sagte er zu mir, dass ich für eine kleine Mahlzeit zwischendurch viel zu schade wäre. Er wolle sich etwas Besonderes für uns beide ausdenken. Dann verlor ich ebenfalls das Bewusstsein.«

»Du hast geschrien.«

»Nur aus Angst. Er hat mir nichts weiter getan.«

Ihr war nichts geschehen. Ein Zittern ging durch seinen Körper. Er war erleichtert. Sie lebte. Zärtlich streichelte er ihre kalte Hand. Irgendwie schienen es alle Männer Ayins auf Willow abgesehen zu haben. Willow hatte wohl dasselbe gedacht, denn sie lachte. Dann löste sie ihre Hand aus der seinen und wickelte sich in ihren wärmenden Umhang.

Sie hatten einige Zeit schweigend nebeneinander gesessen, als der Boden erbebte. Willow starrte verwirrt in die Dunkelheit, dann rückte sie näher an Jack heran, der aufgestanden war.

»Was ist hier los?«

Noch bevor er antworten konnte, gab es einen so heftigen Schlag, dass beide umgeworfen wurden. Sie versuchten, sich wieder aufzurappeln, aber der Boden brach auf und sie stürzten schreiend in die Tiefe.

Sie schienen eine Ewigkeit zu fallen, an ihnen glitt nur Dunkelheit vorbei. Wie tief sie fielen, wussten sie nicht, aber schließlich kam Jack als Erster auf einem harten Steinboden auf. Er schrie vor Schmerzen und versuchte noch, sich zur Seite zu drehen, aber Willow stürzte herab und landete auf ihm. Knochen brachen. Jack stöhnte gequält auf. Willow drehte sich rasch von ihm herunter und blickte ihm besorgt entgegen. Im Dämmerlicht sah sie den Schmerz in seinen Augen.

Er flüsterte mit zitternder Stimme: »Mein Bein ist gebrochen.«

Vorsichtig tastete sie danach, wagte es aber nicht, die Verletzung zu berühren. Sie wollte ihm nicht noch mehr Schmerzen bereiten. Sie hatte ihm genug wehgetan.

»Jack, es tut mir leid.«

»Vergiss es, Willow. Es war ein Unfall. Aber mach, dass du wegkommst. Such einen Fluchtweg. Einer muss das Wissen nach draußen bringen. Ihr habt eine Aufgabe zu erledigen. Ich bleibe hier.«

Er stieß sie weg.

»Jack, nein. Ich verlasse dich nicht.«

»Nein, geh. Mit mir kommst du nicht hier raus.«

Willow schluchzte, dann drehte sie sich um. Sie sah nicht die Tränen, die über Jacks Wangen liefen.

Die Ayinerin begann die Umgebung abzusuchen. Anscheinend hatte sie Jacks Willen nachgegeben, aber sie hatte nicht vor, ihn allein zu lassen. Sie suchte eine Fluchtmöglichkeit, um dann gemeinsam mit ihm zu verschwinden. Doch …

Sie befanden sich in einem fast quadratischen Raum, an allen vier Seiten von dicken Steinmauern umgeben. Nirgends gab es eine Tür oder ein Loch, durch das sie hindurchschlüpfen hätten können.

Traurig kehrte sie zu Jack zurück. Er sagte nichts. Er erahnte den Grund, warum sie blieb. Eigentlich nur aus Trotz legte sie ihre Hand auf seine Wunde und versuchte, ihre Heilkräfte hindurchzuschicken. Sie erschrak zutiefst, als ihre Hand aufglühte. Jack stöhnte, kurz war er gänzlich in Licht gehüllt, dann wurde es wieder dunkel.

»Willow, mein Knochen ist geheilt«, sagte er fast ängstlich.

Verstört starrte Willow auf ihre Hand. Sie hatte nicht nur die Fledermausbisse, nein, auch den Bruch geheilt.

»Du bist stärker geworden«, flüsterte Jack voller Ehrfurcht. Anscheinend hatte die Macht der Einhörner Willows Kräfte erhöht, nur hatten sie sich erst wiederaufbauen müssen.

»Jack, ich habe leider keinen Ausgang gefunden.«

Er runzelte die Stirn. »Aber von irgendwo muss doch frische Luft hereinkommen? Ich spüre einen Luftzug.«

»Durch das Loch, durch das wir gefallen sind?«, meinte Willow.

»Licht wäre nicht schlecht«, flüsterte Jack vor sich hin, dann schrie er fast: »Willow!«

Besorgt blickte sie ihn an. »Ja?«

»Könntest du nicht mit deinen Zauberkräften Licht herbeizaubern?«

»Machst du dich über mich lustig?! Ich kann nur heilen.«

»Nein, aber das ist es doch. Versuche, die Luft zu heilen.«

Willow lachte auf. »Ich soll die Luft *heilen*? Wie stellst du dir das vor?«

»Willow, lach nicht. Lass es uns wenigstens versuchen. Stell dir eine kranke, leidende und frierende Luft vor. Bitte.«

Das Mädchen schien noch immer nicht ganz überzeugt, aber sie gab sich einen Ruck und schloss die Augen. Sie musste noch einmal lachen, dann konzentrierte sie sich. Erst fiel es ihr schwer, sich etwas als leidend vorzustellen, was man mit den Augen nicht einmal sehen konnte, aber schließlich hatte sie ein Bild im Kopf. Nun versuchte sie, diese eingebildete Kranke zu heilen. Lange geschah nichts, aber dann spürte sie, wie ihre Hände zu glühen begannen.

»Willow, sieh«, flüsterte Jack.

Sie öffnete ihre Augen und bekam beinahe vor sich selbst Angst. Sie stand mitten in einem warmen Lichtschein. Und dieser breitete sich immer weiter aus. Willow erhöhte ihre Anstrengung und wurde mit einer Beschleunigung des Lichtes belohnt. Schließlich war der ganze Raum erhellt. Jack blickte suchend um sich, dann deutete er auf die Wand links neben ihr. In fast zwei Meter Höhe war ein kleiner Belüftungsschacht. Er war schmal, aber Jack war sich sicher, dass sie hindurchpassen würden.

»Da geht es raus.«

Willow zitterte, Schweißtropfen bildeten sich auf ihrer Stirn. Es wurde anstrengend, das Licht aufrechtzuerhalten. Sie versuchte, es zu reduzieren und nur auf die eine Wand mit der Fluchtmöglichkeit zu konzentrieren. Aber sie war noch ungeübt und das Licht erlosch.

»Entschuldigung«, sagte sie in Jacks Richtung.

»Kein Problem. Aller Anfang ist schwer. Ruhe dich ein wenig aus.«

Willow gönnte sich einige Minuten, bis sich ihre Atmung wieder normalisiert hatte, dann begann sie erneut. Diesmal brauchte es nicht lange, bis das Licht wieder aufflammte. Es glitt aus ihren Fingern und die Wand entlang. Schließlich war die ganze Wand beleuchtet und der Lüftungsschacht gut sichtbar.

»Gut gemacht. Meinst du, dass du die Helligkeit einige Minuten aufrechterhalten kannst?«

Willow nickte selbstbewusst. Diesmal bereitete es ihr keine große Mühe. Zuvor war sie noch unüberlegt mit ihrer Energie umgegangen, nun hatte sie das Licht auf eine Stelle reduziert und seine Intensität war auch nicht mehr so stark.

»Willow, komm her.«

Jack hatte sich unter dem Lüftungsschacht aufgestellt und winkte ihr. Willow zögerte zuerst. Sie befürchtete, dass das Licht erloschen würde, wenn sie sich bewegte, aber sie konnte sich bewegen, ohne dass Dunkelheit wieder über sie hereinbrach. Jack hatte sich währenddessen hingekniet und deutete auf seine Hand, dann auf seine Schulter. Eine Räuberleiter. Sie stieg auf seine Hand, weiter auf seine Schultern. Kurz berührten sich ihre Hände. Jack zuckte. Wärme durchfuhr ihn.

»Willow, pass auf, dass du mich nicht brätst«, meinte er lachend.

Sie lachte entschuldigend zurück, dann zog sie die Wärme aus der Hand, mit der sie sich noch an Jack festklammerte, und leitete sie in die andere um. Das

Licht flackerte nicht einmal. Jack sah sie bewundernd an, dann stand er langsam auf und schob Willow somit in die Höhe. Leicht erreichte sie die Öffnung, die notdürftig in die Wand gehauen war. Sie schickte einen Lichtblitz hindurch. Der Gang war lang, von hier aus konnte Willow sein Ende nicht erkennen, und führte nach oben. Er war von einer dicken Staubschicht bedeckt. Doch Willow spürte nun ebenfalls einen kühlen Luftzug. Es musste hier rausgehen. Schnell kletterte sie hinein und drehte sich herum. Es kostete sie einige Mühe, dass sie sogar das Licht für kurze Zeit aufgeben musste. Sie dankte ihrem kleinen Wuchs, ihren schmalen Schultern. Schließlich hatte sie sich vollständig herumgedreht und streckte Jack ihre Arme entgegen. Er ergriff sie und arbeitete sich mühsam die Wand hinauf. Schwer atmend erreichte er den Schacht und kroch hinein. Willow drehte sich herum und nahm den Weg in Angriff, während sie ein sanftes Licht vorwegschickte. Jack folgte ihr dicht auf den Fersen.

Sie hatten sich schon längere Zeit vorangearbeitet, als Willow schließlich eine Öffnung vor ihnen entdeckte. Sterne funkelten ihr entgegen.

»Jack, da ist das Ende.«

»Endlich«, seufzte er erleuchte. Rasch eilte er hinter Willow her. Im Gang war es ungemütlich geworden. Sein Körper schmerzte, seine Muskeln waren angespannt.

Glücklich krochen sie durch das Loch und erstarrten. Vor ihnen ging es zehn Meter steil abwärts. Sie befanden sich auf einem Turm der Burg. Jack schluckte. Wie würden sie nun hier wegkommen?

»Irgendwo müssen doch Myth und Rachel sein«, sagte Willow hoffnungsvoll.

Die beiden hatte Jack völlig vergessen. Was war aus ihnen geworden? Standen sie noch immer vor verschlossener Tür? Seine Frage wurde in der nächsten Sekunde beantwortet. Myth flog an ihnen vorbei und sah sie, als er schon umdrehen wollte. Rachel flatterte neben ihm und strahlte ihnen fröhlich entgegen.

»Da seid ihr! Wir suchen euch schon die ganze Zeit. Kommt, steigt auf, verschwinden wir von hier.«

Kurze Zeit später saßen die beiden auf ihrem geflügelten Freund und es ging Richtung Norden. Zu den Silberminen, in denen sich endlich das Rätsel ihrer Reise lüften sollte.

# 39    Der Ruf des Drachen

Doch ein Hindernis lag noch vor ihnen. Das Riesengebirge. Es begann an der nördlichen Grenze von Nómai und zog sich dann weiter Richtung Osten. Sobald es die Ausläufer des Dunklen Waldes erreicht hatte, machte es einen Knick und legte sich schützend um das Flachland, das seit jeher die Silberminen genannt wurde. Diese hohen Bergrücken galt es zu überwinden, dann würden sie endlich ihr Ziel erreicht haben. Hoffnungsvoll ließen sie das finstere Land hinter sich und stiegen die zuerst sanft, dann immer steiler ansteigenden Gipfel empor. Ihre Augen schmerzten, da die strahlende Sonne ungewohnt war, aber dies machte keinen Abbruch an der guten Laune, die alle ergriffen hatte. Bald würde ihre Odyssee vorbei und Kankarios besiegt sein.

Nachdem sie viele Höhenmeter zurückgelegt hatten, machten sie kurz unterhalb der Schneegrenze an einer Quelle Halt. Dort tranken sie sich satt und füllten ihre Fellflasche. Obwohl die Neugier und Erwartung sie weitertrieb, zwangen sie sich, kurz auszuruhen. Dicht neben dem spiegelnden Wasser legten sie sich ins junge, duftende Gras und ließen ihre Blicke über die weiten Kämme schweifen. Der Fels war weiß wie Elfenbein und funkelte wie ein fein geschliffener Diamant in der Sonne. Zwischen ihnen fanden immer wieder Kräuter und Büsche einen Platz zum Leben. Bunte Blumen wiegten ihre Köpfchen im Wind. Ein Adler kreiste hoch über ihnen, ausschauhaltend nach Beute. Ungern wandten sie ihren Blick auf den Schatten unter ihnen. Dort lag das Land der Finsternis. Sein Dunkel schien unwirklich hier in der Sonne, die Leiden vergessen.

»Das Gesicht von Lord Dragon hätte ich zu gern gesehen«, sagte Myth und lachte, nachdem er alles erfahren hatte.

Die anderen stimmten mit ein und vertrieben so die letzten Schatten auf ihren Seelen.

Plötzlich erzitterte die Erde, der Boden stöhnte auf unter heftigen Stößen, dann gab es ein lautes Krachen, dicht neben ihnen. Dann kehrte wieder Stille ein.

Wäre da nicht ein lautes Schnaufen gewesen. Unerwartet schloss sich eine riesige Hand um Myth und hob ihn hoch. Der Pegasus schrie panisch auf. Alle drehten ihre Köpfe.

Willow schrie. Vor ihnen stand ein Riese. So groß, dass er bestimmt bis zu den Turmspitzen der Schattenburg gereicht hätte. In seiner rechten Hand hielt er Myth, der panisch strampelte. Der Pegasus wirkte so klein, so zerbrechlich zwischen den gigantischen Fingern. Kurz blieb das Ungetüm stehen, dann drehte es sich herum, stampfte zu einem Felsen neben der Quelle und ließ sich mit einem lauten Krachen darauf nieder. Die Erde erbebte erneut.

Erstarrt sahen sie ihn an. Sein Kopf war so riesig wie der Fels, auf dem er saß. Blonde Haare kräuselten sich darauf und sein Mund war zu einem dünnen Strich verzogen. In seinen Augen spiegelte sich Neugier und gleichzeitig Abneigung. Sein übergroßes Hemd und die lederne Hose, in der seine ungeheuren Gliedmaßen steckten, wehten im Wind wie große Segel. Mit einer ungeheuer tiefen und hallenden Stimme sprach er: »Ich bin der Riese Jonathan. Was macht ihr Winzlinge in meinem Reich?«

Willow löste sich aus ihrer Erstarrung und schrie dem Riesen entgegen: »Lass unseren Freund frei!«

Obwohl sie aus Leibeskräften schrie, musste Jonathan seinen Kopf herunterbeugen, um zu verstehen, was sie sagte.

»Herr Riese, wir haben auf unserer langen Reise schon viele Gefahren überstanden, unendliche Wegstrecken zurückgelegt, stellen Sie sich uns bitte nicht in den Weg. Wir müssen zu den Silberminen, um den Goldenen Hund zu befreien, der Kankarios besiegen kann. Bitte, lasst uns gehen.«

Jack blickte sie mitleidsvoll an, in ihren Worten fand er völlige Erschöpfung. Sie konnte es nicht ertragen, immer wieder aufgehalten zu werden. Der Riese runzelte fragend die Stirn, dann antwortete er. Eine Antwort, die Willow fast die Beherrschung kostete: »Wer ist dieser, wie nanntest du ihn, Kanakios?«

»Kankarios«, knurrte Willow leise. Laut schrie sie: »Ihr müsst doch von ihm gehört haben! Er bedroht unsere Welt! Moran ist schon unter seine Klauen gefallen und beim Land der Schönheit sieht es nicht besser aus. Ayin ist im Krieg.«

Jonathan blickte noch fragender. »Im Krieg? Ja, einige andere Riesen, die weiter östlich leben, klagen über unbekannte Krieger, aber bei mir hat noch niemand vorbeigeschaut. Mir ist das alles egal.«

Willow schrie nun fast ihre Seele heraus: »Euch können doch nicht alle anderen egal sein! Sie sterben!«

Der Blick des Giganten offenbarte die schreckliche Wahrheit. Es war ihm tatsächlich völlig gleichgültig. Frustriert sackte Willow zu Boden, während Jack wütend vorstürmte.

»Du, Ungetüm, lass Myth frei, lass uns vorbei.«

Er kam wenige Meter an die gewaltigen Füße des Giganten heran, dann traf ihn eine riesige Hand und schleuderte ihn zurück. Stöhnend blieb er auf einem Felsen liegen. Willow lief besorgt zu ihm, aber Jack richtete sich bereits wieder auf.

»Keine Sorge, Willow. Mir ist nichts passiert.«

Dann wandte er sich Jonathan zu und rief: »Was müssen wir tun, damit du ihn frei lässt?«

Sein Blick fiel auf Myth, der unglücklich erschlafft in der Pranke des Riesen hing, er schnaubte leise. Sein Blick war ein einziges Flehen.

Wutentbrannt riss Jack seinen Dolch aus der Gürtelschlaufe. Der Hüne lachte auf, aber in seinen Augen spiegelte sich doch so etwas wie Angst. Er hatte noch nie so aufmüpfige Menschlein gesehen.

»Ich lasse dieses vierbeinige Federvieh«, und damit schüttelte er Myth wild, der dabei panisch aufschrie, »frei und euch gehen, wenn ihr mich im Steinweitwurf besiegt.«

Jack knurrte, steckte aber seine Waffe wieder ein und ergriff einen Stein, der auf dem Boden lag. Kraftvoll schleuderte er ihn fort, dann sah er zum Koloss hoch.

Dieser lachte. »Aber nicht doch. Nicht mit so einem Staubkorn. Wir werfen natürlich mit so etwas hier.«

Daraufhin stand er auf – die Erde erzitterte – und deutete auf den Felsen unter sich. Jack erstarrte, Jonathan ergriff den Steinbrocken und schleuderte ihn mit einer fast zarten Bewegung. Der Brocken traf erst viele hundert Meter weit wieder auf dem Boden auf und zerbrach mit einem Beben zu tausend Stücken.

Stolz grinste der Gigant Jack entgegen. »Du bist dran.«

Jack blickte ihm panisch entgegen und bat um Aufschub.

»So viel du willst. Lass dir ruhig Zeit. Ich setze mich währenddessen wieder hin.«

Er krachte mit einem Rumpeln zu Boden und Jack wandte sich fragend Willow zu.

»Was machen wir jetzt? Ich kann nicht einmal so einen Brocken hochheben, geschweige denn werfen.«

Voller Schuldgefühle sah er Myth an, der immer noch in der Hand des Riesen gefangen war. Rachel war zu ihm geflogen und tröstete ihn. Sie beide schüttelten traurig die Köpfe. Willow sah hoffnungslos auf den gefangenen Freund, dann drehte sie sich herum und ging.

Myth sah dies mit Panik, aber Jack beschwichtigte ihn. Sie würden bald zurück sein, dann folgte er ihr. Sie begannen, den Berg ein Stück herunterzusteigen. Jonathan blickte sie misstrauisch an, ließ sie aber gehen. Als sie außer Sichtweite waren, setzte sich Willow auf einen großen weißen Stein. Sie weinte.

»Warum muss es so schwer sein?«, schluchzte sie, während Jack tröstend seinen Arm um sie legte. Zuvor waren sie noch so zuversichtlich und voller Enthusiasmus gewesen, aus den Klauen des Vampirs entkommen, das Ziel vor Augen. Und nun … gefangen.

Unerwartet erbebte erneut die Erde. Der Stein, auf dem sie saßen, zitterte so stark, dass die beiden besorgt heruntersprangen. Dann bemerkten sie ihren Irrtum. Die Erde bebte nicht, nur der Stein, der keiner war. Kurz zitterte er noch, dann wuchsen Flügel aus ihm hervor. Ein weißer Hals streckte sich. Krallen lösten sich aus der Erde und ein langer Schwanz trommelte unruhig. Blaue Augen blitzten auf und ein Maul spuckte eine winzige Flamme aus. Vor ihnen lag ein schneeweißer Drache. Auf dem sie noch vor Kurzem gesessen hatten.

Willow blickte Jack ängstlich an und wollte flüchten, als das Ungetüm sie ansprach: »Keine Angst, mein liebes Fräulein, ich werde Euch nichts tun. Eigentlich zeige ich mich niemanden, aber Eure Tränen haben mich berührt. Welche Sorgen quälen Euch?«

Mit einer Kralle strich er vorsichtig ihre nasse Wange trocken. Willow blickte ihm verwundert entgegen und fragte ihn ehrfürchtig: »Wer seid Ihr?«

Der Drache lachte. »Nun, zurzeit ein Drache. Aber Ihr scheint meine Vergangenheit zu spüren. Einst war ich Bigor, der Herrscher über dieses Land.«

»Ihr seid Bigor, der Wanderer?«

»Ja, mein Kind. Aber woher wisst Ihr von mir?«

In den nächsten Minuten erzählten sie ihm von der Begegnung mit Arir und den anderen des Alten Stammes. Schließlich auch von ihrer Aufgabe, den Goldenen Hund zu finden.

Der Drache nickte. »Einverstanden, ich werde Euch helfen, da Euch Arir vertraut hat. Wem der Krieger vertraut, dem vertraue auch ich. Ihr habt ein Problem mit dem Riesen. Nichts leichter als das. Wir werden ihm zeigen, was ein Wurf ist. Jack, ich tarne mich erneut als Stein. Du wirst mich leicht hochheben können. Ich werde schweben. Tu so, als ob du mich werfen würdest. Den Rest erledige ich.«

Freudestrahlend kehrten die beiden zu ihren Freunden und dem Riesen zurück. Dieser schlummerte und erwachte, als sie sich näherten. Myth war immer noch gefangen und sah sie erwartungsvoll an.

»Da seid ihr ja endlich«, meinte Jonathan, dann erstarrte er. Jack trug einen riesigen Stein, weiß wie Elfenbein.

»Gut, mein Junge. Du hast einen Stein gefunden. Nun zeig mal, wie du werfen kannst.«

Und Jack warf. Der Stein sauste in die Höhe und raste hinfort – kilometerweit. Nicht einmal der Riese sah ihn aufschlagen. Staunend saß der Riese mit offenem Mund da, seine Finger lösten sich von Myths Körper. Erleichtert rettete sich der Pegasus und rasch flogen sie weiter. Wenige Minuten später, als sie den Riesen schon weit hinter sich gelassen hatten, stieß der Drache wieder auf sie, sodass auch Myth und Rachel des Rätsels Lösung erfuhren. Sie dankten ihm noch einmal, dann verschwand Bigor mit kraftvollen Flügelschlägen Richtung Westen.

Er wollte Arir helfen. Aber dafür brauchte er Verstärkung, die er im Westen des Gebirges fand.

Auch die Freunde flogen weiter. Bald würden sie ihr Ziel erreicht haben. Die Schicksalsuhr stand auf kurz vor zwölf. Wie würde sie umschlagen? Zum Guten oder zum Schlechten. Das lag noch im Dunkeln.

# 40 Die Ruhe vor dem Sturm

Es dämmerte bereits, als sich Myth in das Tal herabsinken ließ. Unter ihnen lagen – spärlich beleuchtet – die Häuser der Zwerge und weiter im Landesinneren strömte rußiges Licht aus einem Schlund, der in die Tiefen der Erde führte. Die Silberminen. Der Pegasus sackte weiter herab, dann setzte er im Schatten eines Hauses auf den kargen, steinigen Boden auf. Vor ihnen traten mehrere Gestalten aus dem tiefen Tunnel, wohl die letzten Arbeiter dieses Tages. Sie, alles Zwerge, wandten sich westlich und verschwanden in einem hohen Gebäude. Auf seiner Front war ein Schild angeschlagen: »Zum fröhlichen Wirt«. Ein Gasthaus. Vielleicht konnten sie sich dort diese Nacht ausruhen und Hilfe finden. Sie näherten sich gerade dem hell beleuchteten, etwas windschiefen Wirtshaus, als jemand sie ansprach. Es war ein Zwerg mit einem großen, silbernen Schlüssel in der Hand. Damit hatte er gerade das Gittertor, das den Eingang zur Mine versperrte, abgeschlossen. Mit einer raschen Bewegung befestigte er den Schlüssel am Gürtel und wiederholte seine Frage: »Fremdlinge, was führt euch in unser Land?«

Der Wicht trat näher heran. Im Schein seiner Lampe konnte Jack in sein altes Gesicht blicken. Es wurde von einem riesigen gekräuselten Bart beherrscht und tiefe Furchen hatten sich in seine Haut gegraben. Der Mann schien das 60. Lebensjahr schon lange überschritten zu haben und strahlte die Gelassenheit des Alters aus. Er blieb vor ihnen stehen und verbeugte sich tief, dann zog er seinen verrußten Hut und nahm Willows Hand.

»Mein Fräulein.«

Willow lächelte, dann antwortete sie: »Lieber Herr Zwerg, wir sind von weit her gekommen auf der Suche nach dem Goldenen Hund. Er soll sich in Eurem Land befinden.«

»Der Goldene Hund?« Der Alte zupfte stirnrunzelnd an seinem Bart.

Willow erwiderte ängstlich, einer Panik nahe: »Ihr wisst nichts darüber?«

Ihr Gegenüber schüttelte beschwichtigend den Kopf. »Bloß keine Aufregung, Kindchen. Ich bin nur ein einfacher Bergmann. Dafür müsste ich den Dorfrat zu Rate ziehen.«

»Würdet Ihr das für uns tun?«

»Natürlich, morgen. Heute findet im ›Fröhlichen Wirt‹ eine Feier statt und ich kann niemanden mehr um Hilfe bemühen. Der Gasthof ist zum Bersten gefüllt, alle Zimmer belegt, da selbst Zwerge aus entfernten Gegenden gekommen sind.«

Willow tauschte mit Jack einen traurigen Blick. Wie gern hätte sie in einem richtigen Bett geschlafen, sich gewaschen und etwas Warmes gegessen.

Der Zwerg lachte. »Nicht traurig sein. Ich biete Euch heute gern mein Gästezimmer an.«

»Vielen Dank, Herr Zwerg.«

Willow sah ihm freudestrahlend an. Der Blick des Alten fiel auf den geflügelten Hengst, der Hufe scharrend hinter Willow stand.

»Und für Euch, Pegasus, habe ich eine wärmende Decke, damit die Nacht draußen nicht zu kalt wird.«

Myth neigte den Kopf und antwortete: «Ich danke Ihnen, das ist sehr freundlich.«

Der Zwerg lachte. »Ich bin froh, euch helfen zu können. Nennt mich Viggo. Und als Gegenleistung müsst ihr mir von euch erzählen. Mich dürstet es nach Geschichten.«

Der Zwerg hatte Willow und Jack lange Zeit befragt und ihren Geschichten gelauscht, nachdem er sie in sein kleines Hüttchen geführt und ihnen einen Fleischeintopf vorgesetzt hatte. Rachel und Myth waren draußen geblieben, hatten Kräuter und Blüten gegessen und waren schnell eingeschlafen.

Viggo wusste nicht viel über die »Außenwelt«, wie er die restlichen Länder nannte. Umso größer war seine Neugier. Er hatte zwar schon von der Bedrohung Kankarios gehört, aber sein Dorf war vom Krieg unberührt geblieben. Das Riesengebirge schien die Zwerge von den Kriegern abzuschirmen. Die Riesen, die gegen die dunklen Scharen kämpften, verteidigten nicht nur ihr Reich, sondern schützten auch die Zwerge. Es wurde zwar von einigen Zwergen gesprochen, die ihr Land verlassen hatten, um den anderen Völkern zu helfen, aber dieses Gefühl für Hilfsbereitschaft gegenüber einer anderen Art war bei Zwergen eher selten. Sie lebten still für sich und kümmerten sich nicht um die Belange anderer.

Jack drehte sich herum. Er stand im Gästezimmer, das Viggo ihnen zugewiesen hatte. Es war klein und spärlich eingerichtet, aber es genügte. Willow lag auf ihrem Bett und schlief. Nachdem sie das Zimmer betreten hatten, hatte sie sich sofort hingelegt und die Augen geschlossen. Ihr Körper funkelte im Mondschein, der durch ein kleines Fenster fiel. Jack trat näher heran. Er schlich wie ein Wolf um seine Beute. In ihm bebte es. So sehr begehrte er sie. Wie gern hätte er ihr Gesicht berührt, ihre weiche Haut gestreichelt. Doch er durfte nicht. Er war sich immer noch nicht sicher, ob er …

»Jack, was ist los?«

Er erschrak. Willow hatte sich aufgesetzt und sah ihn fragend an.

»Nichts«, log er.

Willow seufzte. »Bitte, Jack. Du starrst mich die ganze Zeit an.«

»Ich habe Angst, dass morgen vielleicht alles vorbei ist.«

»Dass der Krieg, dass das Leid aufhört?«

»Nein!« Jack schüttelte rasch den Kopf. »So habe ich das nicht gemeint … ich …«

Willow lächelte im Dunkeln, sie wusste bereits, was er sagen wollte.

»Jack, das Ende dieser Reise muss nicht unbedingt das Ende *unserer* Reise bedeuten.«

Dann schwieg sie. Er sah auf. Sie hatte die Augen geschlossen. Ihre ruhigen Atemzüge sagten ihm, dass sie eingeschlafen war.

Er ging zu ihr. Kurz glitten seine Finger zitternd über ihre Wangen. Dann beugte er sich vor und küsste sie auf die Stirn. Kurz verharrten seine Lippen auf ihrer frischen

Haut, dann trat er zurück. Er hatte nicht alles gesagt. Mehr als alles andere fürchtete er, sie zu verletzen. Und das Monster in ihm wartete bereits.

# 41   Der Goldene Hund

Der Goldene Hund. Es gab ihn wirklich. Jack konnte es nicht glauben. Doch sie waren auf dem Weg zu ihm. Bald würden sie ihn erreicht haben.

Viggo hatte Jack und Willow am nächsten Morgen nach einem üppigen Frühstück zum Stadtrat geführt. Myth und Rachel waren nicht mitgekommen. Sie wollten die Umgebung erkunden. Der Gedanke an einen engen Minenschacht hatte Myth jede Neugier genommen. Rachel begleitete ihn. Wie immer.

Im Stadtrat waren Jack und Willow freundlich aufgenommen worden. Man berichtete ihnen von einer Goldformation, die einen Hund darstellte. Sie war vor wenigen Wochen in einem abgelegenen Minenschacht entdeckt worden. Der Stadtrat war erstaunt über ihren Bericht, dass ein Orakel den Retter prophezeit hatte. Einige Mitglieder waren skeptisch. Doch beauftragten sie schließlich einen jungen Zwerg, die beiden zum besagten Stollen zu führen.

Und so wanderten Jack und Willow schon einige Zeit durch die Finsternis des Schachtes, den man ihnen gezeigt hatte. Nur das Licht einer Laterne zerriss die Dunkelheit. Am Ende des Ganges sollte sich der Goldene Hund befinden. Jack sah zu Willow hinüber. Er sah ihre Aufregung und auch er spürte seinen beschleunigten

Herzschlag. Waren sie nun tatsächlich am Ende ihrer Reise angelangt? Weiße Wölkchen bildeten sich vor ihren Mündern, so kalt war es in der Tiefe geworden. Willow war froh über ihren Umhang. Jack, dicht neben ihr, trug eine dicke Jacke, die ihm ein Zwerg geliehen hatte.

»Jack«, sie brach das Schweigen.

»Ja, was ist?«

Sie blieb einige Sekunden stumm, dann antwortete sie: »Ich möchte dir noch etwas sagen, bevor wir das Ziel unserer Reise erreicht haben.«

Sie stoppte erneut, sprach leiser weiter: »Jack, ich habe mich in dich verliebt.«

Er blieb stehen und wandte sich zu ihr um. Sein Herz machte einen Sprung. Sie war in ihn verliebt? Ein warmer Schauer lief durch seinen Körper. Er war glücklich … und doch. Wut erwachte in ihm. Er schrie sie heraus: »Wie kannst du mich lieben? Das Monster in mir wird dich zerreißen, ich werde dich nur verletzen.«

Willow hob beschwichtigend die Hand: »Jack, ich habe keine Angst vor dem, was in dir lauern könnte. Ich weiß, was du mit den anderen Frauen gemacht hast. Aber ich fürchte mich nicht. Du sprichst nur von einem Monster, weil du Angst hast. Angst, erneut zu lieben und vielleicht alles zu verlieren. Jack, ich habe auch alles verloren. Es tat weh, aber ich bin bereit, es noch einmal zu wagen, selbst wenn es mich wieder verletzen könnte. Lass es uns gemeinsam tun. Auch wenn du mich nicht lieben kannst. Es genügt mir, wenn du mir versprichst, es zu versuchen.«

Jack sah sie verwundert an. »Willow …«

Ihr Blick driftete ab und fixierte etwas hinter seinem Rücken. Ihre Augen leuchteten glücklich auf, dann rief sie: »Der Goldene Hund.«

Jack drehte sich herum und erstarrte erstaunt. Am Ende des Tunnels war aus purem Gold ein Hund in den Stein gezeichnet. Kurz verharrten sie noch, dann wollten sie darauf losstürmen, als die Erde erbebte. Zwerge hatten einige Gänge weiter einen Schacht angebohrt, der mit reißendem Wasser gefüllt war. Schreiend brachten sich die Zwerge in Sicherheit, als das Wasser wütend durchbrach. Zwar fand es nicht seinen Weg in den Goldschacht, aber durch die Wucht nahm er ihm seine Stabilität. Die Decke krachte und es bildeten sich fingerbreite Risse. Willow sah die Katastrophe und wollte zum Goldenen Hund laufen, direkt in den Gefahrenbereich. Jack trat ihr entgegen und warf sie zurück. Stöhnend blieb sie auf dem Boden liegen und haftete ihren Blick auf Jack. Dieser sah in die Höhe und versuchte, sich mit einem Sprung in Sicherheit zu bringen, aber da stürzte die Decke herab. Riesige Steine fielen und begruben ihn unter sich.

Willow blickte hustend in den Nebel aus Staub, der sich langsam legte. Vor ihr lag ein Berg aus Geröll, Fels und Stein. Schreiend stürzte sie darauf zu und begann zu graben.

Ihre Fingernägel waren blutig, als sie Jacks Hand fand. Sie war schwarz von Staub. Weinend grub das Mädchen weiter. Schließlich hatte sie Jack vollständig ausgegraben. Er blutete aus zahlreichen Wunden und viele seiner Knochen waren gebrochen. Obwohl sie wusste, dass sie ihm damit noch mehr Schmerz zufügte, hob sie ihn zur Hälfte hoch und zog ihn aus dem Gefahrenbereich, denn es fielen immer noch Brocken herab. Traurig sackte sie neben Jack zu Boden. Er lebte noch, aber war ohne Bewusstsein. Zögernd berührte sie ihn mit ihrer Hand, um ihn zu heilen, aber sie wurde unerwartet von Weinkrämpfen geschüttelt. Eine Träne fiel von ihrem Gesicht herab und berührte Jacks Wange.

Das Wasser glühte auf. Willow blinzelte. Was geschah hier? Jack begann von innen heraus zu leuchten und verwandelte sich. Seine Hände begannen sich zu krümmen, seine Ohren wurden spitzer und sein Gesicht zog sich in die Länge. Fingernägel wurden zu dicken Krallen. Überall sprossen lange, feste Haare. Erst langsam, dann immer schneller. Sie waren golden. Ein langer Tierschweif klopfte nervös auf die Erde. Jack hatte sich in einen Hund verwandelt. In den Goldenen Hund.

Willow schrie auf: »Jack! Wie haben wir uns getäuscht. Das Gold der Menschheit findet man in keiner Mine der Welt. Man findet es nur im Menschen.«

Sie lachte. Die ganze Zeit hatte sie der Retter begleitet. Das Tier öffnete die Augen. Es waren Jacks Augen. Der Hund bellte, dann sprang es auf seine vier Pfoten. Die Wunden, die Jack erlitten hatte, waren bei der Metamorphose verschwunden. Das Tier blutete nicht und auch keines der Gliedmaßen war durch einen Bruch entstellt. Es kam langsam auf sie zu.

Der Hund bellte erneut und schüttelte seinen Rücken. Was wollte er von ihr? Sollte sie auf seinen Rücken klettern? Noch bevor Willow ganz auf dem Rücken saß, sputete das Tier los. Willow hatte zuerst Probleme, auf dem Tier Halt zu finden, aber dann krallte sie sich am Nackenpelz fest und drückte ihren Körper an den Rücken des Hundes. Der Lauf ging durch die dunklen Stollen der Mine, die nun leer waren. Unter ihnen hörte Willow immer noch das Rauschen des Wildwassers, oder war es ihr eigenes Blut in ihren Ohren? Sie fühlte sich sonderbar. Zuerst glaubte sie, Jack für immer verloren zu haben – nun stand er als Goldener Hund vor ihr. Aber hatte sie ihn nicht gerade durch seine Verwandlung verloren? Seine Aufgabe war es, gegen Kankarios zu kämpfen. Was war ihre? Hatte sie überhaupt irgendeine Bedeutung zwischen den ungeheuren Mächten, die hier auf Ayin eine Rolle spielten? War Ayin jetzt gerettet oder würde selbst der Goldene Hund ihre Welt nicht mehr vor dem Untergang bewahren können? Solche Gedanken gingen dem so klein und verloren wirkenden Mädchen durch den Kopf, während es auf dem Rücken eines gewaltigen Hundes an Felswänden vorbeieilte, die Mine verließ und Richtung Südosten getragen wurde.

Sie rasten durch das Reich der Zwerge, bis sie die Ausläufer des Riesengebirges erreichten. Jack (war es wirklich noch Jack?) nahm den Gebirgshang im Sturm. Ohne an Geschwindigkeit oder an Kraft zu verlieren, jagte er Richtung Bergrücken. Willow hielt sich nur noch mit Mühe fest. Es war schwer, so erschöpft wie sie immer noch von ihrer Reise war, sich auf einem so stark bewegten Leib zu halten. Sie hatte mehrmals versucht, den Hund zum Halten zu bewegen oder wenigstens das

Ziel ihres Rittes zu erfahren, aber er hatte nicht darauf reagiert. Vielleicht verstand er sie nicht mehr; vielleicht war er nun vollständig zum Tier geworden. Krampfhaft konzentrierte sie sich wieder auf ihre Aufgabe: sich festzuhalten. Schon steif und kalt gruben sich ihre Finger in das Fell des Hundes, so fest, dass sie schmerzten. Doch der Schmerz half ihr, die Konzentration zu bewahren, damit sie nicht plötzlich losließ.

Unmittelbar stoppte der Hund. Willow wäre fast kopfüber vom Rücken gestürzt, wären ihre Hände nicht schon so verkrampft gewesen, dass sie einfach nicht mehr loslassen konnten. So wie es ihr vorher Schmerzen bereitet hatte, sich festzukrallen, war es jetzt ebenso schmerzhaft, die Finger wieder aus dem Fell zu lösen. Mit Mühe und Not gelang es ihr und sie rieb ihre blutleeren Hände, um wieder etwas Leben in sie zu bringen. Erschöpft stieg sie vom Rücken des Tieres und blickte um sich. Sie stand auf einem hohen Gipfel des Riesengebirges und vor ihr lag Ayin in seiner vollen Größe und Pracht. Von der Pracht war nicht mehr viel übrig. Denn bei genauerem Hinsehen bekam die Schönheit Risse. Über Morana und ihren Ausläufern hing Rauch und auch dem Dunklen Wald sah man die Bedrohung an. Im Zentrum waren die meisten Bäume abgestorben. Tod und leer.

Plötzlich krachte es. Die vertrockneten Bäume entzündeten sich und standen nun lichterloh in Flammen. Inmitten des Flammenringes wütete Kankarios, bäumte sich auf und wuchs in die Höhe. Er absorbierte die Lebenskraft der Bäume und ließ sie trocken wie Laub verbrennen. Er war nun bereit zur Übernahme von ganz Ayin, zum letzten vernichtenden Schlag. Die Zeit drängte. Der Countdown hatte begonnen.

Während all diese Eindrücke auf Willow einwirkten, liefen ihr Tränen über die Wangen. Sie hatte den Erlöser gefunden, doch sie spürte in ihrem Herzen, dass er zu schwach war. Sie würde Jack verlieren. Und dann würde sie sterben, da mit ihm auch Ayin untergehen würde. Sie wollte sich weinend abwenden, als der Hund sie ansah. Seine Augen waren immer noch die von Jack. Es war ein aufmunternder Blick. Der Hund bellte und wandte sich in Richtung Westen. Während Willow seinem Blick folgte, hörte sie ihn, nein, sie fühlte ihn sprechen.

Plötzlich erklang Jacks Stimme in ihrem Kopf: »Allein ist der Goldene Hund machtlos. Aber keine Angst, liebste Willow, unsere Reise war nicht umsonst. Auf ihr fand der Goldene Hund die Unterstützung, die Freunde, die er brauchte, um seinen Kampf zu führen.«

Die Stimme verebbte. Ihre Verbindung brach ab, da Willow den Blickkontakt zwischen ihnen löste und voller Spannung gegen Westen schaute. Die untergehende Sonne blendete sie und trieb noch mehr Tränen in ihre schon feuchten Augen. Langsam machte sie schwarze Schatten aus, die immer schneller auf sie zukamen. Fliegende Tiere? Vögel? Willow war sich nicht sicher, was sie vor sich hatte, bis die Gestalten auf wenige hundert Meter herangekommen waren. Kräftige Schwingen pfiffen durch die Luft. Schuppen funkelten im Sonnenlicht und große Krallen prahlten an starken Pranken. Wendige

Körper tanzten mit dem Lufthauch wie die Kobra vor dem Schlangenbeschwörer. Drachen.

Fünf Stück an der Zahl und als Anführer flog vor ihnen Bigor. Er zwinkerte dem Mädchen zu, das verwirrt den Wesen des Feuers entgegenblickte. Bigor neigte sein gehörntes Haupt vor Willow und dem Goldenen Hund, dann landete er beschützend hinter dem Mädchen, das nun vor Aufregung und zunehmender Angst zu zittern begann. Der Drache begrüßte hoch aufgerichtet seine Gefährten, die sich still hinter ihm in der Luft einreihten, dann schickten die fünf Geschöpfe heiße Flammen gegen den Himmel.

Die Drohung wurde von Kankarios wahrgenommen, denn er wandte sich zu ihnen um. Willow brach dabei in die Knie. Sie fühlte sich erschlagen von all der Macht um sich herum. Von Angst geschüttelt und zitternd verbarg sie ihr Gesicht in den Händen, Tränen traten hervor. Wie konnte dies ein normaler Mensch ertragen? Sie hatte sich vorher immer vorgenommen, eigenständig gegen Kankarios zu kämpfen, sie hielt ihren Mut und ihre Wut für so stark, um einem solchen Gegner entgegentreten zu können. Doch sie hatte sich geirrt. Die Angst überrollte sie. Die Erinnerung kam zurück. Sie sah die behaarte Klaue, sich vom Pegasus stürzen, unter ihr nur den Tod. Ihr Todessturz, dessen Ablauf sie vergessen hatte, kam zurück. Sie durchlebte noch einmal ihren Schmerz, ihre Angst, sie spürte die kalte Hand des Todes, die nach ihr griff und sie festhielt. Nein, sie war nicht in der Lage, gegen Kankarios zu kämpfen. Sie hatte verloren. Ihr Wunsch war es gewesen, selbst gegen

Kankarios zu kämpfen, doch nun musste sie erkennen, dass sie dafür zu schwach war.

Etwas berührte sie am Arm. Willow blickte auf und sah durch den Tränenschleier hindurch Jack. So wie sie ihn kennengelernt hatte – als Mensch, nicht als Hund. Er lächelte sie an. Doch dieses Bild währte nicht lange. Und der Goldene Hund stand vor ihr. Sie wollte sich abwenden, doch der Blick des Tieres hielt sie fest.

»Willow, danke, dass du mich befreit hast. Erkenne nun auch deine Bestimmung …«

Und damit begann der Hund zu heulen.

# 42 Die Herrin erwacht …

Willows Seele erzitterte unter dem Jaulen des Hundes. Etwas geschah in ihrem Innern. Ein Beben ging durch ihren Körper. Das Mädchen glühte auf und erhob sich. Etwas erwachte in ihr. Etwas sehr Starkes und ungeheuer Altes. Älter als das Mädchen, das sie bis dahin gewesen war, älter als Kankarios, als Ayin. Sie war die Urkraft dieser Welt, der erste Atem der Einhörner, die gestaltende Macht, die den Alten Stamm und die Natur erschaffen hatte.

Willow war die verborgene Herrin.

Einst verloren, vergessen, nun wiedererweckt.

Im Lichtstrahl verwandelte sich Willow. Ihre Gestalt des Mädchens schien sie zuerst zu verlieren, das Bild einer Greisin zeigte sich, doch letztlich gewann ihre jugendliche Gestalt. Diese hatte sie behalten, doch nun strahlte sie auch die Aura der Unendlichkeit und zeitloser Weisheit aus.

Der Ruf des Hundes hatte Willows wahre Gestalt offenbart, zeigte, wer sie war. Eine Königin.

Ihre Gesichtszüge waren härter, bestimmender geworden. Ihr Körper von strahlender, reiner Schönheit, in ein Kleid aus Seide gehüllt, versponnen mit lebenden Weidenzweigen. Das Kleid floss weich und zart um ihren Körper, war eins mit der Luft und dem Boden zugleich. Blau des Wassers, Grün der Bäume, Farben des Regenbogens funkelten auf. Ein zarter Schleier legte sich um ihr Gesicht wie ein milder Lufthauch. Er flatterte leicht im Wind. Farbenfrohe Schmetterlinge schmückten ihr gewelltes Haar und ihre Hände steckten in seidenen Handschuhen, die ihre Haut wie Liebhaber liebkosten. Auf ihrer Stirn glitzerte der Kopfschmuck, den Willow von Arir geschenkt bekommen hatte, die grünen Diamanten von silbernen Weidenzweigen gehalten. Er war einst das Herrscherzeichen des Dunklen Waldes gewesen, doch er hatte Arir nie gehört. Arir war nur ein Bewahrer gewesen, bis die Königin erwachte. Nun war die Zeit gekommen.

# 43   … und ruft ihre Schar

Sie begann zu singen. Fremde Worte, die man nur mit einem offenen Herz verstand. Der Goldene Hund wandte sich ihr zu, sah sie an. Bigor hinter ihnen knurrte leise, wand sich hin und her, dann begann er zu schrumpfen, sich zu verdicken, bis sich aus der Masse ein Licht in einem Knall gebar. Es leuchtete auf, wandte sich der Herrin zu und nahm schließlich die Gestalt eines jungen Mannes an. Es war Bigor. In groben Leinenstoff gehüllt, mit einem Wanderstab in der Hand. Bigor der Wanderer in seiner wahren Gestalt, wie sie ihm von seiner Herrin gegeben worden war. Nun war Kankaros' Fluch gebrochen.

Aber nicht nur in unmittelbarer Nähe zeigte Willows Gesang Wirkung. Er wurde überall in Ayin vernommen und entfesselte den Alten Stamm. Miral, die hinter einer Maus herjagte, leuchtete auf. Dann verließ sie ihr Gefängnis und ihre Seele begab sich auf den Weg zu ihrer Herrin. Auch Sirair, gefangen im grünen Kristall, löste sich von seinen Fesseln und suchte sie. Nacheinander wurden die Verfluchten befreit. Schara, der immer noch wutentbrannt als Graf Dragon durch sein Schloss tobte, verlor seine Bosheit und gesellte sich als gutherziger Eremit zu der anwachsenden Gruppe. Und nun löste sich auch das Rätsel um den goldenen Hund in der Mine. Als Willow zu singen begann, bröckelte das Gold aus der Wand, glühte auf und dann stand Mural in der Mine.

Arir kämpfte gegen eine Schar Krieger, die in sein Lager eingefallen waren, als sein Körper zerfiel und er sich in ein strahlendes Licht verwandelte, das die Angreifer vernichtete.

Kurz drehte er sich zu seinen einstigen Gefährten um und sprach: »Keine Angst, liebe Wesen. Ich bin wieder das, was ich einst war.«

Dann verschwand er. Wenige Zeit später trafen die einzelnen Mitglieder des Alten Stammes auf der Lichtung ein. Sechs Geschöpfe umkreisten Willow und verbeugten sich vor ihr. Sie hatten alle wieder ihre wahre Gestalt angenommen.

Miral trug ein weites, sanftes Kleid, das ihren feinen, weiblichen Körper sinnlich umspielte. In ihren grünen Augen lag das Wissen der Vergangenheit und der Zukunft in der Gegenwart vereint.

Sirair trug den Ornat eines Königs, auf seinem Haupt funkelte die Spiegelkrone. Er lächelte Miral an und nickte ihr wissend zu.

Schara stand neben ihnen. Er trug eine dunkle Robe, die ihn als Eremiten auswies. Sein Wesen hatte nichts mehr von der Bosheit des Vampirs, alles an ihm strahlte Gutmütigkeit aus.

Mural trat in Schürferkluft auf den Felsvorsprung und klopfte Bigor freundschaftlich auf die Schultern.

Ihr Blick fiel auf Arir. Er überragte sie alle. In seiner goldenen Rüstung strahlte er in den letzten Strahlen der sterbenden Sonne. Auf seinem Kopf ruhte der weiße Helm Ayins und darunter blitzten wache Augen hervor. Selbst die Herrin erzitterte unter diesem Anblick.

Allein zwei Gewalten fehlten in der Runde. Der abtrünnige Moror, der ihnen nun als Feind gegenüberstand, und Airmor, der unter Jacks Schlägen gefallen war. Die Herrin vergoss um ihn eine kostbare Träne.

Die Gruppe verharrte kurz auf dem Felsvorsprung, dann begab sie sich hinunter ins Tal. Vor der hoch aufragenden Front des Waldes blieben sie stehen. Sie warteten auf Kankarios.

Kurz umfing sie Stille, dann schrie ein Vogel und der Feind war zu hören. Er spürte sie. Lautes Bersten und Brechen von Holz war zu hören. Kankarios war auf dem Weg zu ihnen. Gewaltsam machte er sich Platz, stürzte die Bäume, die ihm im Weg waren. Willow fühlte, wie eine Woge voller Schmerz über sie hinwegflutete. Es war der Schmerz der Bäume, den sie spürte, denn sie war als Herrin nun eins mit der Natur. Langsam breitete sie die Arme aus. Zuerst schien nichts zu geschehen, doch dann bewegten sich unmittelbar vor ihr die Reihen der Bäume. Sie folgten dem Wink ihrer Herrin und machten Platz. Sie stellten sich ihrem Feind nicht mehr in den Weg, um sie zu schützen, sondern gaben eine breite Gasse frei, die unmittelbar zu Kankarios führte. Dieser drehte sich mit seinen strampelnden Beinen herum und blickte wütend der Gruppe entgegen. Nun war die Zeit des Kampfes gekommen.

# 44    Dreikampf

Es ist so weit«, sagte Arir.

Er löste sich aus dem Kreis des Alten Stammes und ging auf den Goldenen Hund zu, der zu Willows Füßen saß. Arir verneigte sich vor ihm und auch der Hund senkte seinen Kopf. Der Krieger strich über das weiche Fell hinter den Ohren und meinte mit tönender Stimme: »Nun soll es sich erfüllen. Wir werden zusammen gegen den Feind kämpfen.«

Der Hund heulte auf, dann öffnete er sein Maul. Eine Klinge schoss aus seinem Rachen und fiel in Arirs ausgestreckte Hand. Es war Jacks Dolch.

Als der Krieger den Griff des Messers mit seiner Faust umschloss, verwandelte es sich. Es wuchs und wurde zu einem großen Schwert. Nun konnte der Kampf beginnen. Und er begann.

Kankarios bewegte sich, er zuckte, dann stürmte er los. Seine acht Klauen hatten noch nicht die Hälfe des Durchganges durchschritten, als Willow ihre Hände kurz zusammenschlug. Die Bäume in Kankarios' Umgebung folgten ihrer Bewegung und krachten gegen ihn. Eingezwängt zwischen hölzernen Leibern, mit gebrochenen Gliedern, stürzte das Ungetüm zu Boden. Willow und die Mitglieder des Alten Stammes, mit Ausnahme Arirs, der zusammen mit dem Goldenen Hund kämpfen sollte, griffen den Gegner nun mit Ma-

gie an. Sirair, Herr der Spiegel, projizierte vor Kankarios dessen Spiegelbild, sodass er abgelenkt wurde. Der
Zauber brach erst, als Kankarios sich selbst, dem Ego
im Spiegel, in den Leib biss. Der Zauber fiel, doch nun
trug die Spinne ein tiefe Wunde – aus ihrem eigenen
Maul. Dann griff Bigor an. Zusammen mit seinen Drachen schickte er einen Feuerregen, während Mural in
das Bombardement einstimmte, schwere Felsen und
giftigen Erzstaub schleuderte. Kankarios schrie auf.
Zuerst schien er unter all den Angriffen zusammenzubrechen, dann sprang er in die Höhe – seine gebrochenen Glieder hielten ihn paradoxerweise. Er schüttelte
das Feuer von seiner angesengten Haut und stürmte
los. Es war nur noch Zorn, der ihn vorantrieb. Schara
stieß mit einem heißen Lichtstrahl nach ihm, der alle
acht Spinnenaugen erblinden ließ. Nun griffen der Goldene Hund und Arir an. Die Zangen des Monsters
klapperten, versuchten sich zu wehren, aber er hatte
keine Chance. Übermenschliche Kräfte prallten gegen
Kankarios. Er schrie schrill und spuckte noch einmal
im Todeskampf Krieger aus. Sie fielen unter Arirs geschickt geführter Klinge. Der Goldene Hund sprang
voller Kraft auf den zuckenden Spinnenleib, der von
einem erneuten Magieblitz getroffen wurde, und biss
zu. Blutend sackte der Gegner in sich zusammen.

Aber es war noch nicht vorbei. Aus dem Blut zuckte ein
Blitz und ein riesiges Maul schnappte nach dem Hund.
Dieser entwich der Attacke und griff erneut an. Der
Schlund löste sich auf, das Licht erlosch. Stille kehrte

ein. Kankarios war besiegt und mit ihm alle Krieger, die schreiend zerfielen.

Nur noch eine Blutlache zeugte vom Kampf und vom Übel. Mit dem Tod Kankarios' versank die Sonne hinter den Bergen und es wurde dunkel.

Die Sieger wandten sich ab.

Doch dann geschah etwas. Von der Blutlache am Boden erhob sich ein Lichtsog. Zunächst klein und unscheinbar, dass es niemand bemerkte. Doch er wurde stärker, wirbelte Blutstropfen in die Höhe. Ein schrilles Lachen erklang. Alle wandten sich erschrocken herum. Vor ihnen stand Kankaros. Das Wesen, das vor der Spinne gewesen war. Ein Mann, der Ähnlichkeiten mit Brutanios hatte, seine Gewalttätigkeit ausstrahlte, aber doch ganz anders war. Obwohl er die Züge eines Menschen hatte, war er keiner. Etwas war so fremd, man konnte es nicht in Worte fassen. Dieses Wesen schien keinen konstanten Körper zu besitzen, es schien das Aussehen anzunehmen, das sein Gegenüber erwartete, das er sympathisch fand. Dieses Wesen war jedem sympathisch, eine Aura an Charme verbarg die Bosheit.

Doch der Alte Stamm hatte aus seinen Fehlern gelernt. Kankaros konnte ihn nicht mehr täuschen. Der Schlag des Alten Stammes war kurz, aber hart. Er enthielt all die Wut, die sich während der Zeit des Fluches aufgestaut hatte. Kankaros hielt ihm nicht stand. So schnell, wie er aufgetaucht war, so schnell verschwand er. Zurück blieb eine dunkle Lache aus Blut. Es senkte sich erneut Dunkelheit über das Tal.

Es schien endlich vorbei, als sich Willow unter Schmerzen krümmte und in sich zusammensackte.

»Meine Herrin!«, schrie Arir und stürzte zu ihr, als auch er voller Qual in die Knie brach.

Nacheinander sackten die Mitglieder des Alten Stammes zu Boden und erstarrten. Nur ihre Augen verrieten, dass sie lebten. Panisch sahen sie auf den großen Schatten, der sich ihnen näherte.

Große, rote Augen funkelten ihnen entgegen. Ein Lachen. Dann eine schrille Stimme: »Der einzige Vorteil meiner Aufgabe war die Fähigkeit, die Zeit zu beherrschen. Und eure Zeit steht jetzt still.«

Arir brach noch einmal kurz den Zauber. »Moror, der Wächter. Gebieter über die Höhlen der Zeit«, brachte er hervor, dann erstarrte er endgültig.

Vor ihnen stand Moror. Er lachte, in seinen Augen funkelte Wahnsinn, dann streckte er bedrohlich eine Hand aus. Er wollte die Herrin berühren. Sie war nicht erstarrt, bewegte sich aber nicht, sondern blickte ihn voller Schmerzen an. Sie konnte nichts gegen ihn unternehmen, denn sie spürte Liebe zu ihm, zu ihrem verlorenen Sohn. Er war ihre Schöpfung. Willow erhob ihre Hand, streckte sie nach ihm aus, doch sie wagte es nicht, ihn zu berühren. Sie krümmte sich erneut vor Schmerzen. In ihr kämpften zwei Wesen. Die verborgene Herrin, die ihr Kind liebte, und das Mädchen Willow, das es noch im Verborgenen gab und wusste, dass Moror vernichtet werden musste, sonst war das Ende Ayins und all seiner Lebewesen gekommen.

»Jack«, schrie das Mädchen, dann siegte das Ego der Herrin und sie erstarrte ebenfalls.

Moror richtete sich im Triumph auf und schrie: »Nun gehört mir die Welt.«

Er bemerkte den knurrenden Hund hinter sich erst, als es bereits zu spät war. Voller Zorn stürzte sich der Goldene Hund auf ihn. Er bellte laut, dann bohrten sich seine Zähne in Morors Kehle. Dieser erstarrte, blickte noch einmal klagend, fragend auf, dann fiel er unter dem Gewicht des Tieres zu Boden. Blut gurgelte aus seinem Mund. Er starb.

Diesmal blieb kein Leichnam, kein Blut. Während sich der Hund noch in der Wunde weidete und weiterbiss, löste sich der einstige Wächter auf und verschwand. Diesmal für immer.

Der Alte Stamm erwachte aus seiner Erstarrung und umringte den Goldenen Hund, der seine blutigen Lefzen leckte. In den Augen des Tieres spiegelte sich die Mordlust einer Bestie; es war kein Ausdruck eines menschlichen Wesens mehr darin. Auch die Herrin erwachte. Doch sie erhob sich nicht, sondern blieb auf den Knien und ihre Augen füllten sich mit Tränen. Voller Trauer weinte sie um ihr Kind, um Moror, der gefallen war. Dann fiel der Schleier und wurde vom Wind in die Dunkelheit fortgetragen. Als der feine Stoff den Gipfel der Berge passierte, geschah etwas Erstaunliches. Die Sonne ging an diesem Tag noch einmal auf. Dort, wo sie gerade versunken war, erwachte sie erneut und erhob sich zu neuem Leben. Während das Licht die Lichtung des Kampfes erhellte und die Wunden des Waldes heilte, war die Herrin im Verborgenen verschwunden. Willow war wieder zum einfachen Mädchen geworden. Nichts zeugte mehr von ihrer Kraft als Königin. Sie erhob sich und auch sie weinte. Nicht mehr um Moror – diese Trauer war mit der Herrin verflogen. Sie weinte um Jack. Sie hatte seine Augen nach dem Kampf gesehen, es waren nicht mehr die eines Menschen, sondern die eines wilden Tieres, das Geschmack am Blut gefunden hatte. Traurig wandte sie sich ab, als der Goldene Hund vor ihr stand. Das Blut an seinem Maul war verschwunden. Willow beugte sich zu ihm herunter und sah ihm in die Augen. Die Tränen flossen noch immer über ihre Wangen, als sie vor Freude lächeln musste. Ayin war gerettet, Kankarios besiegt.

Doch der Sieg hatte einen Preis gefordert. Jack.

Plötzlich erklang seine Stimme in ihrem Kopf, blaue Augen glühten auf. Willow strich über das struppige Fell des Tieres, dann stand sie Jack gegenüber. Er hatte sich wieder zurückverwandelt. Grinsend blickte er ihr entgegen, als sie ihn verwundert anstarrte. Ein letztes goldenes Haarbüschel glitt aus ihren Fingern, strich über seine Kleidung und fiel zu Boden.

»Deine Liebe hat mich wieder zum Menschen gemacht«, hörte Willow seine Antwort in ihrem Kopf, dann fiel diese mentale Verbindung.

Arir drehte sich zu ihnen um. Sein Herz machte einen Satz, als er sie so glücklich sah. Er wollte auf sie zugehen, als zu ihrer aller Freude ein zeternder Pegasus in Begleitung einer Fee vom Himmel herabstieß. Schon von Weitem hörten sie sein Schimpfen:

»Uns einfach im Stich zu lassen. Was habt ihr euch dabei gedacht? Jetzt haben wir alles verpasst.«

Der Alte Stamm drängte sich lachend um die beiden. Willow erblickte Sirair, der sie ansah. Elvier kam ihr wieder in den Sinn. Sie hatte ihn auf ihrer Reise vergessen, nun wollte sie wissen, wie es ihm ergangen war. Der Spiegelkönig bemerkte ihre Qual und trat leise an sie heran.

»Elvier geht es gut. Er hat seinen verdienten Frieden gefunden.«

Damit trat Sirair zur Seite. Willows suchte mit ihren Augen Jack, der auch zu Myth und Rachel geeilt war, doch dabei begegnete sie Arirs Blick. Er lächelte sie an. Sie sah seinen Menschenkörper, der Fluch des Kentauren war von ihm geglitten. Sie wollte auf ihn zugehen – sein Blick rief sie –, als Miral ihr zuvorkam und auf Arir zutrat. Die Seherin umarmte ihn und lehnte sich glücklich an seinen stattlichen Körper. Kurz begegneten sich Willows und Arirs Blicke, es war so viel Vertrauen darin, dann brach die Verbindung, da Miral Arir küsste. Willow sah dieses Glück und fand ihres im Anblick ihres treuen Gefährten. Jack sah zu ihr zurück und lächelte ihr entgegen. Doch bevor er auf Willow zugehen konnte, trat ihm Miral entgegen, die sich aus Arirs Armen gelöst hatte.

Die schöne Frau, deren Augen immer noch denen einer Katze glichen, lächelte ihn an und sprach: »Ich war es, die erkannte, dass du der Retter bist, und ließ dich hierherkommen. Leider vergaß ich durch den Fluch dieses Wissen und bürdete euch diese lange Reise auf. Als ihr mir in Morana begegnet seid, wusste ich nur noch, dass du Ayin nicht verlassen darfst, aber aus welchem Grund wusste ich nicht mehr. Nun, da deine Aufgabe erfüllt ist, möchte ich dir ermöglichen, zurückzukehren.«

Miral trat zur Seite und ließ Sirair vor.

»Einst bat ich Sirair, mir seinen Spiegel zu überlassen, um dich von der Erde hierher zu holen, nun schenke ich dir die Möglichkeit zur Rückkehr.«

Der Spiegelkönig verbeugte sich, dann wuchs in seinen Händen ein goldener Spiegel.

»Berühre ihn und du bist zu Hause.«

Jack schwieg, sah Arir, wie er Miral von hinten umarmte, und erkannte in diesem Moment, was er wollte. Er schüttelte den Kopf.

»Vielen Dank für Euer Angebot, aber ich bin hier zu Hause.«

Sein Blick fiel auf Willow. Sie lächelte zurück. Ihm war egal, ob es ein Ungeheuer in ihm gab. Er wusste, dass es in ihm eine noch stärkere Macht gab. Eine gute. Er zog Willow näher zu sich heran. Sie lachte und ihre Augen strahlten vor Glück. Er sah ihr tief in die Augen, als sie direkt vor ihm stand, und strich mit den Fingern durch ihr Haar.

»Ich liebe dich«, gestand er ihr, dann küsste er sie.


Ayins Himmel glühte in goldenen Farben auf, weiße Blüten prasselten auf sie herab. Ein Freudengesang erklang, der immer lauter wurde. Jedes Volk erhob seine Stimme, um die Rettung Ayins zu loben. Die Feuersbrünste, die in Morana wüteten, erloschen. Die Dunkelheit, die für

Jahrzehnte Nómai in seinen Klauen gehalten hatte, verblasste und wich dem Sonnenschein. Die Monster und Vampire verwandelten sich, das Böse fiel von ihnen ab. Die Geschöpfe der Finsternis verließen ihr Gefängnis und kehrten in ihre Heimatländer zurück. Der Friede hatte heimgefunden; die Zeit des Krieges war nun endlich vorbei. Arir nickte ernst. Es war auch das Ende der Herrschaft des Alten Stammes. Sie würden sich aus Ayin zurückziehen. Die Zeit der Herrschaften war endgültig vorbei. Nun war jedes Volk selbst für sich verantwortlich. Es sollte eine Zeit voller Frieden und Liebe werden.

# 45    Epilog: Ende und Anfang

Sie standen auf der Brücke der Gier. Sie hatte ihre Bedrohlichkeit eingebüßt. Die gefräßige Fratze der Dunkelheit war dem anmutigen Gesichtchen des Lichtes gewichen, der Fluch über Nómai gebrochen.

Willow stand neben Jack auf einer Brückenseite und ihnen gegenüber Arir. Die restlichen Mitglieder des Alten Stammes hatten sich bereits verabschiedet und waren vorausgegangen. In etwas Entfernung wartete sie nun darauf, dass Arir sich ihnen anschloss. Alle Verbliebenen des Alten Stammes: Miral, Schara, Sirair, Mural und Bigor.

Es war die Zeit des Abschieds gekommen. Der Alte Stamm würde sich in die Höhlen der Zeit zurückziehen.

»Und wohin geht ihr?«, fragte Arir.

Willow lächelte nur verlegen, Jack antwortete: «Nach Morana. Willow möchte das Grab ihrer Eltern besuchen und bestimmt können wir dort mit unseren Kräften«, bei diesem Wort schwoll seine Brust voller Stolz an, »von Nutzen sein. Es wird viel wiederaufgebaut werden müssen. Kankarios' Krieger haben dort schlimm gewütet.«

»Dann heißt es Abschied nehmen«, sagte Arir traurig.

Er reichte Jack die Hand. Die beiden Männer verabschiedeten sich nickend. Jack verstand sehr wohl Arirs stumme Warnung, gut auf Willow aufzupassen. Dann wandte sich der einstige Kentaur Willow zu.

»Nun denn …«, begann er, um dann zu verstummen. Auch Willow war unsicher, ihr Körper zitterte und ihre Stimme schwieg. Sie neigte sich zu ihm, umarmte ihn – sanft und zärtlich.

»Werde ich dich wiedersehen?«, fragte sie flüsternd.

Arir erwiderte ihre Umarmung, drückte sie fest an sich. Dann ließ er sie los und wandte sich ab. Schon beim Fortgehen drehte er sich zu ihr um und winkte.

Mit einem Lächeln sagte er: »Ich werde da sein, wenn du mich brauchst.«